La collection
ROMANICHELS
est dirigée par
André Vanasse

Du même auteur

Les brèves années, roman, Montréal, Fides, 1953.

Jules Fournier. Journaliste de combat, étude, Montréal, Fides, 1955.

Contes des belles saisons, roman jeunesse, Montréal, Beauchemin, 1958.

La soif et le mirage, roman, Montréal, CLF, 1960.

Flamberge au vent, roman jeunesse, Montréal, Beauchemin, 1961.

Mes beaux meurtres, nouvelles, Montréal, CLF, 1961 ; 1973 ; Montréal, XYZ éditeur, coll. « Romanichels », 2004.

Le journal d'un chien, roman jeunesse, Montréal, l'Homme, 1962.

Le printemps qui pleure, roman, Montréal, l'Homme, 1962.

Un Yankee au Canada, traduction du livre de Henry David Thoreau, *A Yankee in Canada*, Montréal, l'Homme, 1962 ; réédition sous le titre *Un Yankee au Québec*, Montréal, Stanké, 1996.

Ceux du Chemin-Taché, contes, Montréal, l'Homme, 1963 ; Jumonville, 1974 ; Montréal, XYZ éditeur, coll. « Romanichels, 2005.

Mon encrier de Jules Fournier, anthologie, Montréal, Fides, 1964.

Les renégats, pièce en trois actes et cinq tableaux, Montréal, Jumonville, 1964.

Conteurs canadiens-français. Époque contemporaine, Montréal, Déom, 1965 ; réédition augmentée, 1970, 1973, 1976 ; XYZ / Typo, 1995 ; XYZ éditeur, coll. « Romanichels poche », 1998.

Le mors aux flancs, roman, Montréal, Jumonville, 1965.

Jules Fournier, étude, Montréal, Fides, 1967.

L'humour au Canada français, anthologie, Montréal, CLF, 1968.

Soliloque en hommage à une femme, roman, Montréal, CLF, 1968.

Témoins du monde français, anthologie, éditeur avec James F. Burks, illustrations de James Phillips, New York, Appleton-Century-Crofts, 1968 ; Irvington Publishers, 1978.

Un païen chez les pingouins, récit, Montréal, CLF, 1970.

Les fous d'amour, roman, Montréal, Jumonville, 1973.

La colère du père, récit, Montréal, Jumonville, 1974 ; Trois-Pistoles, 1995.

Des choses à dire. Journal littéraire 1973-1974, Montréal, Jumonville, 1975 (épuisé).

Ignace Bourget. Écrivain, avec la collaboration de Donald Smith et Patrick Imbert, Montréal, Jumonville, 1975.

La tête en fête. Histoires étranges, Montréal, Jumonville, 1975.

C'est ici que le monde a commencé, récit-reportage, Montréal, Jumonville, 1978.

Le roi d'Aragon ou Le procès des possédants, drame en deux actes, Montréal, Jumonville, 1979.

Marie-Ève, Marie-Ève, roman, Montréal, Québec Amérique, 1983.

Conteurs québécois 1900-1940, anthologie, Ottawa, Presses de l'Université d'Ottawa, 1987.

Un siècle de collusion entre le clergé et le gouvernement britannique. Anthologie des mandements des évêques (1760-1867), Montréal, XYZ éditeur, coll. « Documents poche », 1998.

Joseph Guibord, victime expiatoire de l'évêque Bourget, essai, Montréal, XYZ éditeur, coll. « Documents », 2000.

Discours sur la tolérance de Louis-Antoine Dessaulles, suivi du *Mémoire de l'évêque Bourget*, présentation et notes, Montréal, XYZ éditeur, coll. « Documents », 2002.

Marie-Ève ! Marie-Ève !

Catalogage avant publication de Bibliothèque et Archives Canada
Thério, Adrien

    Marie-Ève! Marie-Ève!: roman

    Réédition.

    (Romanichels)
    Éd. originale: Montréal: Québec Amérique, 1983.
    Publ. à l'origine dans la coll.: Littérature d'Amérique.
    ISBN 978-2-89261-476-3

    I. Titre. II. Collection.

PS8539.H4M37 2007   C843'.54   C2007-940241-0
PS9539.H4M37 2007

La publication de cet ouvrage a été rendue possible grâce à l'aide financière du ministère du Patrimoine canadien par l'entremise du Programme d'aide au développement de l'industrie de l'édition (PADIÉ), du Conseil des Arts du Canada (CAC), du ministère de la Culture et des Communications du Québec (MCCQ) et de la Société de développement des entreprises culturelles (SODEC).

Édition originale: Québec Amérique, 1983

© 2007
XYZ éditeur
1781, rue Saint-Hubert
Montréal (Québec)
H2L 3Z1
Téléphone: 514.525.21.70
Télécopieur: 514.525.75.37
Courriel: info@xyzedit.qc.ca
Site Internet: www.xyzedit.qc.ca

et

Succession Adrien Thério

Dépôt légal: 1er trimestre 2007
Bibliothèque et Archives Canada
Bibliothèque et Archives nationales du Québec
ISBN 978-2-89261-476-3

Distribution en librairie:
Au Canada: En Europe:
Dimedia inc.   D.E.Q.
539, boulevard Lebeau   30, rue Gay-Lussac
Ville Saint-Laurent (Québec)   75005 Paris, France
H4N 1S2   Téléphone: 1.43.54.49.02
Téléphone: 514.336.39.41   Télécopieur: 1.43.54.39.15
Télécopieur: 514.331.39.16   Courriel: liquebec@noos.fr
Courriel: general@dimedia.qc.ca
Droits internationaux: André Vanasse, 514.525.21.70, poste 25
                andre.vanasse@xyzedit.qc.ca

Conception typographique et montage: Édiscript enr.
Maquette de la couverture: Zirval Design
Photographie de l'auteur: François Forget
Illustration de la couverture et des pages de garde: Emily Carr, *Indian Church*, 1929

Adrien Thério

Marie-Ève! Marie-Ève!

roman

XYZ éditeur

Romanichels

Préface

Un manifeste contre la vision idyllique du terroir

Marie-Ève! Marie-Ève! a été publiée en 1983, chez Québec Amérique. Je me souviens très bien avoir lu ce roman à cette époque et l'avoir trouvé vraiment réussi. J'avais surtout été surpris par l'audace des propos que Thério y tenait. Impressionné aussi par la qualité de la langue et la justesse du ton qui paraissaient coller parfaitement au récit. Dans mon esprit, Thério avait atteint une sorte de perfection avec ce roman. Le sujet tout autant que le traitement étaient sans reproche.

La question que je me pose aujourd'hui est celle-ci : avais-je réfléchi au fait que Thério bousculait de fond en comble les règles du roman du terroir ? Je suis porté à croire que non, même si la chose était plus qu'évidente. Elle aurait dû l'être encore plus pour moi qui avais rédigé ma thèse de maîtrise sur le roman du terroir, et ce, deux décennies avant la parution de *Marie-Ève! Marie-Ève!* Mais, à cette époque, j'étais plongé dans la psychocritique. Ma perception du fait littéraire était pour ainsi dire régie par des questions liées à la théorie psychanalytique. Ainsi, les propos de Thério sur l'amour refoulé ou sur la folie, ou

encore sur la révolte contre les images patriarcales, me
paraissaient autrement plus importants que le contexte
dans lequel se déroulait le récit.

Pourtant, le portrait que Thério y faisait du monde rural
était pour le moins inattendu. Les romans de la terre, c'est
connu, n'ont jamais brillé par leur côté transgressif. C'est
plutôt le contraire. Les messages essentiels qui y sont tenus,
ce sont celui du maintien de la tradition et celui du respect
de la religion. Il n'est que de penser à ce beau roman qu'est
Maria Chapdelaine[1] pour se rendre compte que la doxa est
d'autant plus présente qu'elle intervient directement dans
le récit. Ainsi, comme Jeanne d'Arc, Maria Chapdelaine
entend soudain des voix. De fait, il y en a trois. Et la troisième, qui s'adresse fermement à Maria, n'est rien de moins
que «la voix du pays de Québec qui [est] à moitié chant de
femme et à moitié sermon de prêtre» (p. 186) et qui l'enjoint
de rester au pays de Québec plutôt que de partir pour les
États où veut l'entraîner Lorenzo Surprenant. Maria, donc,
refuse de se laisser séduire par «l'inconnu magique des
villes» (p. 181) et décide de rester sur place pour perpétuer
la race, car «Au pays de Québec, rien ne doit mourir et rien
ne doit changer» (p. 187).

Or, ce message de fidélité à la terre et à la religion, c'est
celui-là même que Thério dénoncera avec une véhémence
extrême dans *Marie-Ève! Marie-Ève!*[2] Et si, dans *La colère du
père* (1974), c'était un homme qui se révoltait, ici, c'est une
femme qui s'interpose et qui conteste l'ordre immuable des
choses.

---

1. Louis Hémon, *Maria Chapdelaine*, Montréal, Fides, coll. «Nénuphar»,
   1957, 192 p. Les citations de la présente préface sont tirées de cette
   édition.
2. Adrien Thério, *Marie-Ève! Marie-Ève!*, Montréal, XYZ éditeur, coll.
   «Romanichels», 2007, 187 p. Les citations de la présente préface sont
   tirées de cette édition.

Carmélia Desjardins a 88 ans quand elle prend la plume pour écrire à Claude Martel, natif du Chemin-Taché et lui-même écrivain. Cette femme, qui n'a pas pu aller au delà de la 7ᵉ année, n'en est pas inculte pour autant. Elle lit beaucoup (de Delly à Zola, ce dernier étant à l'index de son temps) et surtout elle écrit. Elle s'interroge aussi sur les mécanismes de l'écriture. Comment écrit-on? Quel est le lien entre le réel et l'imaginaire? Comment, demande-t-elle à Claude Martel, a-t-il pu décrire avec autant de justesse le Chemin-Taché, alors que les personnages qui traversent ses écrits sont fictifs, c'est-à-dire qu'ils n'ont aucun lien direct avec des personnes ayant vécu au Chemin-Taché? Les questions que pose Carmélia sont loin d'être insignifiantes. Elles touchent l'essence même de l'écriture et mériteraient plus d'attention, mais cela m'obligerait du même coup à dévier de mon propos.

Quoi qu'il en soit, Carmélia Desjardins entreprend, comme Claude Martel l'a fait avant elle, de dresser un tableau du Chemin-Taché. La manière dont elle s'y prend n'est rien de moins qu'une attaque en règle contre les bienpensants et contre tous ceux qui s'alimentent aux vérités toutes faites. D'entrée de jeu, Carmélia joue ses cartes: il n'est pas vrai que le bonheur réside dans l'agriculture. Comment cela pourrait-il être le cas, nous dit-elle, quand on regarde un tant soit peu le Chemin-Taché qui était « un pays d'une pauvreté effroyable » (p. 29) où les parents, faute de moyens, oblige[aient] les enfants à aller à l'école « nu-pieds jusqu'à la première neige parce que des souliers, ça coût[ait] trop cher » (p. 29)? Étaient-ils heureux, ces paysans qui devaient attendre le beurre de l'été pour payer leurs dettes au magasin général? Et puis, Carmélia ajoute, un peu honteuse: « Je n'osais le dire à personne […] mais il me semblait qu'une femme ne pouvait faire l'amour avec un homme qui venait d'aller soigner ses animaux. » (p. 31)

Fille d'hôtelier, Carmélia n'a jamais pu supporter l'esclavage de la terre. Et puis la chance a voulu qu'elle marie un menuisier. C'eût été le bonheur parfait, si elle n'était pas tombée follement amoureuse de Michel Ouellet. Un amour jugé impossible à l'époque et qui a fait en sorte que jamais, sinon en rêve, Carmélia n'a pu vraiment posséder celui pour lequel elle éprouvait la plus violente passion. Et ce qui est admirable chez cette femme, c'est que cet empêchement ne l'a pas coupée du bonheur. Il suffit parfois de peu pour être heureux : « Une seule fois dans ma vie, j'ai eu l'occasion de le tenir dans mes bras. En une soirée, j'ai fait une provision de joies que je n'ai pas encore fini de dépenser » (p. 42), nous confie-t-elle. Revoyant Michel Ouellet sur son lit de mort, elle a cette phrase absolument sublime : « Mais je l'aimais toujours. Je crois que si j'avais été seule avec lui dans cette chambre mortuaire, je l'aurais embrassé sur la bouche. » (p. 41)

Cette femme, qui avoue d'entrée de jeu avoir aimé toute sa vie un autre homme que celui avec qui elle a vécu, n'a pas fini de nous étonner. Bien qu'elle soit croyante, elle refuse de se plier aux diktats du curé de la paroisse. Pour elle, les choses sont claires : elle n'a de comptes à rendre qu'à son Dieu. Le reste, et surtout le curé Martel (eh oui ! il porte le même patronyme que celui à qui elle s'adresse !), elle n'en a cure. Il faut attendre jusqu'à la fin du récit pour savoir jusqu'où peut aller la vindicte de cette femme contre le curé Martel qu'elle juge méchant et rétrograde. Nous y reviendrons, mais, pour l'instant, sachons que Carmélia est, *a priori*, hors norme, elle qui ose affronter ouvertement l'autorité cléricale. Elle dira même à Claude Martel, à qui elle écrit ce récit : « Je ne voulais pas que tu perdes ta vie. Il me semblait que faire un prêtre, c'était perdre sa vie. » (p. 29)

Avouons qu'un personnage de cette trempe, on n'en connaît aucun dans nos romans du terroir. Et, en femme cultivée, elle ne manque pas de faire remarquer à Claude Martel qu'elle n'arrive pas à comprendre que Donalda, de *Un homme et son péché* de Claude-Henri Grignon, soit si soumise à son mari. Même question à propos de Maria Chapdelaine. En outre, constate-t-elle, les deux héroïnes n'ont pas d'enfants. Et Carmélia de lancer : « Est-ce que tu comprends, toi, Claude pourquoi les femmes des romans n'ont rien à voir avec celles que tu connais et que je connais ? » (p. 47) « En regardant autour de moi, précise-t-elle, je ne vois que des femmes suivies de douzaines d'enfants. » (p. 47) Ainsi, non seulement Carmélia conteste-t-elle l'ordre établi, mais elle s'en prend à la littérature du terroir elle-même, qu'elle accuse d'avoir présenté un portrait faussé de la vie paysanne.

Des enfants, Carmélia en a eu six. Et ce fait n'est pas négligeable dans le roman, puisque c'est à cause d'eux, et plus précisément à cause de Marie-Ève, que Carmélia va aller jusqu'au bout d'elle-même. Cela commence par la danse. Les enfants de Carmélia veulent s'amuser et danser, mais le curé Martel ne voit pas les choses du même œil. Et voilà qu'une partie de bras de fer se joue entre Carmélia et le curé. Car c'est avec son entière approbation que Carmélia les laisse aller soit à Saint-Amable, soit à Cacouna, soit à Rivière-du-Loup. Pour elle, il est naturel que des jeunes s'amusent et qu'ils dépensent leur folle énergie. Personne — et surtout pas le curé Martel — ne pourra les en empêcher. Le curé a beau les dénoncer en chaire, rien n'ébranle sa volonté. Et si le curé refuse de confesser ses enfants, pas de problème, c'est à Trois-Pistoles qu'ils le feront !

Tout irait pour le mieux dans le meilleur des mondes, du moins aux yeux de Carmélia, si un grand malheur ne venait frapper la maison. Et c'est Marie-Ève qui en est la victime. Carmélia a beau faire l'impossible pour essayer de la sortir de l'immense souffrance qui l'habite, cette dernière reste prisonnière de son état. En désespoir de cause, elle fera venir le curé pour tenter de la guérir. Ce dernier, fidèle à sa bêtise, accusera plutôt Carmélia, l'impie, d'être la cause du dérèglement de Marie-Ève.

Et quand tout sera joué, quand les dés seront jetés, Carmélia ne pourra s'empêcher d'aller dire au curé que ce n'est pas elle la cause de ce malheur, mais lui et lui seul. Et c'est là que l'imprévisible se produira : Carmélia réussira à avoir le dessus sur cet infâme curé. À tout jamais.

Comme on peut le constater, l'enjeu du roman, c'est celui du pouvoir. Pouvoir d'une femme contre le pouvoir clérical. Et, contre toute attente, c'est la femme qui l'emportera sur le curé. Mais les choses ne sont pas aussi simples. Car cette victoire a un prix. Et le prix, c'est celui de Marie-Ève. Il n'y a pas de bonheur absolu. Toute joie suppose sa peine. Et Carmélia n'y échappe pas...

❏

Le portrait que je viens de tracer (en mettant en veilleuse le sujet même de l'intrigue) montre à l'évidence que Thério a voulu battre en brèche les valeurs qui ont été le sel de son enfance. Pour lui, la vie sur une terre, c'était l'enfer. Et c'est ce qu'il a voulu faire entendre dans ce roman. Il le fait du reste avec beaucoup plus de détails que le résumé que je viens de donner, puisque le centre du roman (Partie II intitulée « Les images brûlantes ») fait le rappel d'événements du Chemin-Taché, événements qui ne sont pas reliés à la vie intime de Carmélia, mais qui montrent avec horreur jusqu'à quels excès cette société pouvait aller. Dans cette partie, il est question de l'incroyable insalubrité dans laquelle vivent le vieux Ozias Dionne et sa femme Adéline. Reclus dans une cambuse infecte, les deux s'invectiveront à qui mieux mieux et mourront de façon lamentable ; Amélie après avoir bu au complet une bouteille d'alcool pur, et Ozias, incapable de vivre seul, en saupoudrant son gruau avec du poison à rats !

Puis fait suite à ce triste récit un autre tout aussi révoltant. C'est celui qui concerne Cathène (Catherine), Zilda (Azilda) et Matti (Matthias), trois vieux sans le sou qui ont décidé de squatter une maison délabrée et abandonnée. Plutôt que de leur prêter secours, le curé vient les invectiver parce qu'ils n'assistent pas à la messe. Mal lui en prend : il se fait injurier comme jamais il ne l'a été dans sa vie : « Tu veux dire qu'on devrait te respecter, toé, un gros frais chié qui est même pas capable de sentir sa marde ? » lui lance Zilda (p. 80). Les trois vieillards mourront dramatiquement dans le feu qui ravagera la maison qu'ils habitaient.

Le troisième récit concerne les cinq infirmes de la famille Saint-Germain. Cinq enfants dont le corps s'arrête au tronc. Un spectacle triste mais pourtant étonnant. « On aurait dit les êtres les plus heureux du monde » (p. 85), nous confie Carmélia. Malheureusement, tous meurent avant d'avoir atteint leur trente-cinquième année, le dernier ayant suivi ses quatre sœurs quinze jours après le décès de la dernière. « On a fini par apprendre à travers les branches qu'il ne serait peut-être pas mort de mort naturelle. Mais personne n'a jamais osé dire publiquement qu'il s'était suicidé » (p. 87), nous confie la narratrice...

Le quatrième récit concerne le mariage de Jean-Pierre Saint-Germain avec Odette Lalonde. Une histoire belle et triste. Celle d'un homme dont les désirs le portaient plus vers les êtres de son sexe que vers ceux du sexe opposé. Le jour de son mariage, Jean-Pierre est retrouvé mort, « noyé dans quelques pieds d'eau, dans la petite rivière qui passe à cet endroit » (p. 89).

Finalement, le dernier récit, c'est celui de l'institutrice Lucienne Martin qui «s'est permis de devenir enceinte au milieu de l'année scolaire» (p. 91) d'un chauffeur de camion qui consentait à la marier, mais seulement quand le temps serait venu. Et grâce à Carmélia qui la supplie de rester à l'école jusqu'à la fin, Lucienne osera braver le curé tout autant que les commissaires d'école. Elle finira l'année en beauté, la tête haute et fière...

À la lecture de ces courts résumés, on aura compris que tous ces récits n'ont pour but que de démontrer que les laissés-pour-compte, les infirmes ou les «déviants» n'ont pas leur place dans un système qui n'accepte que ceux qui marchent au pas et qui ne font pas honte à l'Église. Les récalcitrants, on les chasse comme des bêtes immondes.

❏

Le destin d'un livre est lié aux conditions de son apparition. Or, au moment où paraît *Marie-Ève! Marie-Ève!* la question du terroir avait perdu beaucoup de son actualité. Pour ceux qui l'ignorent, le cycle du terroir débute avec *La terre paternelle* en 1846 et se clôt avec *Le Survenant* en 1945. Quand Gabrielle Roy publie *Bonheur d'occasion*, en 1945, elle inaugure un cycle urbain qui prendra de plus en plus d'ampleur au cours des décennies qui suivront. Les années cinquante, avec Yves Thériault en tête, marqueront un tournant majeur dans notre histoire littéraire. Et bientôt, la Révolution tranquille des années soixante sera à nos portes.

Ainsi, quand paraît *Marie-Ève! Marie-Ève!*, soit en 1983, le roman est à contre-courant. À cette époque, l'Église n'en menait pas large au Québec et les gens ne se préoccupaient guère des questions religieuses. Dans ce contexte, on peut comprendre que les propos virulents de Carmélia n'aient pas eu le même impact que ceux de Rodolphe Girard lors de la parution de *Marie Calumet*, en 1904, ou ceux d'Albert Laberge dans le roman *La Scouine* paru en 1918. Du même souffle, il faut aussi admettre qu'Adrien Thério courait peu le risque d'être condamné par l'Église, alors que les deux autres auteurs cités l'avaient été. Rodolphe Girard a même dû « s'exiler » à Ottawa pour pouvoir survivre.

Cela dit, le roman de Thério est un roman profondément anticlérical. Jamais, dans la littérature du terroir, n'a-t-on vu des personnages s'attaquer aussi directement et aussi violemment aux représentants du clergé comme c'est le cas dans *Marie Ève ! Marie-Ève !*

Il faut dire qu'Adrien Thério savait qu'on pouvait affronter le clergé : avant l'arrivée de sa famille, n'y avait-il pas eu, au Chemin-Taché, une révolte des paysans ? Une révolte telle que ces derniers avaient décidé de devenir protestants et de construire une « mitaine » (*meeting house*), c'est-à-dire une petite église dirigée par un pasteur protestant ? Cela est étonnant mais vrai. Du reste, Carmélia revient sur cette période, sans trop insister, quand elle dit à Claude Martel : « Tu n'as pas connu le Chemin-Taché dans les années où il était protestant. » (p. 54)

Quoi qu'il en soit, et peu importe que *Marie-Ève ! Marie-Ève !* ait paru longtemps après l'âge d'or du roman du terroir, je crois qu'on aurait tout intérêt à revisiter ce portrait de la vie paysanne et à le lire comme une réplique cinglante aux affirmations idéalistes des penseurs ultramontains du début du siècle qui chantaient tous en chœur les vertus de la terre.

❏

On me permettra d'ouvrir une parenthèse pour dire quelques mots au sujet de la structure du roman. Le lecteur que je suis s'est parfois interrogé au sujet de l'apparition tardive de Marie-Ève dans le roman. En fait, elle est évoquée à plusieurs reprises, mais on ne sait rien d'elle, sinon qu'elle est la fille bien-aimée de Carmélia. Constamment, la narratrice nous annonce qu'elle va raconter son histoire, mais elle se laisse à tout coup entraîner dans des commentaires qui l'éloignent de son sujet principal. Cela est dérangeant au point qu'on se dit que jamais elle n'apparaîtra.

Elle le fait finalement dans la troisième partie. Et quand on termine la dernière page du roman, on comprend alors l'immense importance du personnage, présence qui a été volontairement différée par l'auteur.

Le roman devrait-il porter un autre titre? Il se peut. Quelque chose comme Moi, Carmélia Desjardins; mais l'impact que provoque le drame de Marie-Ève est tel que je crois qu'Adrien Thério a eu raison de proposer le titre que nous lui connaissons, même si Thério nous fait ainsi longtemps languir.

❏

Je m'arrête ici et vous laisse le soin d'apprécier ce roman. Je vous souhaite de le lire comme un document d'époque qui présente une vision du monde qui n'a plus grand-chose à voir avec ce que nous connaissons aujourd'hui. Ce roman raconte comment nos grands-parents vivaient dans cette société théocratique, au sein de laquelle les membres du clergé détenaient une totale emprise, au point que tout écart de conduite pouvait entraîner les pires anathèmes. Il en fallait du courage, dans ces conditions, pour oser affronter l'autorité cléricale! Y en a-t-il eu beaucoup qui se sont colletés à leur curé? Je suis porté à croire que non, bien que le passage au protestantisme des paysans du Chemin-Taché me laisse croire qu'ici et là, au Québec, s'élevaient parfois de fortes voix dissidentes.

Je suis par ailleurs convaincu que plusieurs paysans de souche ont été plus rusés : ils ont fait semblant d'obéir aux diktats religieux, alors que, dans le fond de leur cœur, ils n'adhéraient plus, ou si peu, aux Vérités intangibles professées par leur curé. En somme, il y a eu peu de Carmélia dans nos campagnes. C'est pourquoi elles sont si précieuses : car elles ont levé le voile sur la face cachée de la paysannerie en nous décrivant sans complaisance une société agraire qui ne vivait pas toujours le bonheur qu'on lui avait annoncé.

Bien au contraire !

ANDRÉ VANASSE

À Pierre G.

I

De Carmélia à Claude

Mon cher Claude,
Il y a longtemps que je songe à t'écrire. Pour des raisons qui me paraissent parfois claires, parfois obscures, chaque fois que j'ai voulu me pencher sur mon papier ligné et commencer ce qui devrait être bien plus qu'une lettre, j'en ai la conviction, je me suis sentie démunie. Est-ce qu'il t'arrive, quand tu te sens prêt à commencer ton récit ou ton roman, d'avoir les mêmes difficultés que j'éprouve depuis si longtemps devant mon papier blanc ? Je ne crois pas. Tu as l'habitude d'écrire et je suis presque sûre que tu ne te poses même pas de questions parce que, une fois ton histoire inventée dans ta tête, tu sais très bien ce que tu vas dire et comment tu vas le dire.

Justement, moi, je ne sais pas du tout, même si je sens un flot de mots remonter à ma gorge quand je pense à t'écrire, comment je vais arriver à te faire comprendre tout ce qui bouillonne en moi depuis tant d'années.

Je ne sais pas comment m'y prendre parce que je n'ai jamais écrit de livres et surtout parce que j'ai l'impression que ce que j'ai à raconter est tellement disparate qu'à la fin un autre lecteur que toi s'y retrouverait difficilement.

Mais c'est à toi que j'écris et je peux donc me laisser aller à toutes mes fantaisies. On verra bien ce que cela donnera. C'est la première fois que je m'attelle à une tâche pareille, mais — et cela te surprendra — il y a longtemps que je me penche sur les manières d'écrire de plusieurs écrivains, que je m'interroge sur leur sincérité. Tu ne te doutais pas qu'au moment où tu partais pour le collège, moi, je commençais déjà, pour meubler mes heures libres, à dévorer des douzaines de livres que j'empruntais à la bibliothèque paroissiale. Toi-même, tu t'es abreuvé à cette bibliothèque avant d'aller faire des études à l'extérieur et je crois même que c'est toi qui m'as donné l'idée, un bon dimanche, d'aller emprunter des livres au curé. Il en a été surpris et il m'a demandé quelles sortes de livres je désirais. Je ne savais pas ce qu'il voulait dire. Même si j'avais fait ma 7e année au couvent de Cacouna (car je viens de Cacouna, ce que tu ne savais pas), je n'avais jamais appris à aimer la lecture. J'avais, en classe, fait mes devoirs assidûment. Je me contentais d'avoir une bonne note. Je ne détestais pas l'école, mais quand ma mère m'a dit que si je voulais continuer, il faudrait que je songe à préparer un diplôme de maîtresse d'école — je sais qu'on dit institutrice aujourd'hui —, j'ai préféré tout abandonner. Je n'avais pas du tout mais pas du tout envie de passer des années à faire apprendre les verbes et les conjugaisons à une bande de morvaillons dans une paroisse de colons. Je savais très bien que je ne pourrais faire la classe ni à Cacouna ni à Rivière-du-Loup. C'était la chasse gardée des religieuses. De toute façon, je ne me sentais pas de vocation d'enseignante et j'ai « décroché ». C'est une expression que j'ai apprise il y a quelques années. Cela ne me faisait pas de peine, puisque je ne voyais pas ce que je pourrais faire avec un diplôme. Et personne ne m'avait dit que je serais plus heureuse si je faisais des études plus poussées.

Ça te surprend, n'est-ce pas, que je te dise que j'ai fait ma 7e année ? Peu de personnes, dans mon temps, se sont rendues jusque-là. J'aurais même pu enseigner à l'école rurale du Chemin-Taché si cela m'avait vraiment plu parce que, au moment où je suis arrivée ici, les institutrices n'avaient pas de diplôme et elles auraient été bien en peine de faire la 5e année. J'aurais pu enseigner à ce niveau, et ta mère aussi, puisqu'elle m'a raconté qu'elle avait enseigné quelques mois, mais jamais cela ne m'est venu à l'esprit. Se désâmer dix heures par jour pour un salaire de 15 $ par mois — c'était le salaire des institutrices à cette époque-là —, c'était pour moi du plus grand ridicule. Quand on a doublé, triplé, quadruplé le salaire des institutrices, beaucoup d'habitants ont été scandalisés. Je ne l'ai pas été. Je savais que cela devait venir. Je savais que le travail d'une institutrice valait plusieurs fois celui d'une bonne. Je n'ai jamais osé exprimer mes idées là-dessus parce que j'aurais fait rire de moi.

Je reviens donc au curé qui m'a demandé quelles sortes de livres je désirais. J'étais prise au dépourvu et j'ai répondu : « Des histoires d'amour. » Il m'a regardée avec de grands yeux et m'a dit : « Vous êtes sérieuse ? » J'ai fait signe que oui. Alors, il m'a remis deux romans de Delly et un de Magali. Et c'est avec ces deux grandes dames que j'ai commencé à m'évader de mon quotidien, que j'ai commencé à laisser le Chemin-Taché pour toutes sortes d'autres pays. Mais Delly et Magali, cela n'a pas duré des années. Après vingt pages, je savais déjà comment l'histoire tournerait et je ne continuais le roman que pour le plaisir de me prouver que je ne m'étais pas trompée. Tu dois bien savoir, Claude, que je ne suis pas le genre de femme à se pâmer devant les histoires abracadabrantes de ces romancières qui n'écrivent — il n'y a pas longtemps que je m'en suis rendu compte — que pour mettre de gros billets dans leur porte-monnaie. Évidemment, elles savent comment faire naître la tension entre leurs personnages. Cela fait palpiter le cœur des ingénues. On ne peut être ingénue toute une vie. Après Delly et Magali, j'ai réclamé autre chose. J'ai eu droit à Paul Féval et, plus tard, à Henri Bordeaux. J'ai lu tous les romans d'Henri Bordeaux et j'en ai été émerveillée. Il me semblait que personne mieux que lui ne pouvait raconter une belle histoire. J'ai passé, je crois, deux années de ma vie à le lire et à le relire. Et puis, je me suis mise à lire d'autres romanciers et même quelques essayistes parce qu'un jour j'ai eu l'idée de m'abonner à la bibliothèque municipale de Rivière-du-Loup. À la biblio-thèque de Saint-Amable, cela s'arrêtait à Henri Bordeaux. Lentement, lentement, je me suis mise à réfléchir à toutes ces façons d'écrire, de raconter une histoire. Je m'arrêtais quelquefois pour faire des comparaisons. Imagine, par exemple, que j'ai lu plusieurs romans de Balzac et même *Le rêve* d'Émile Zola.

Je fais une pause, parce que tu dois, toi aussi, te croire en train de rêver. Tu te demandes : Est-ce bien la mère Desjardins ? — car c'est ainsi que vous m'appeliez, même si devant moi vous disiez madame Desjardins — est-ce bien la mère Desjardins qui est en train de m'écrire cette lettre ? Eh, bien, oui, c'est moi ! C'est la vieille dame qui était votre voisine quand tu es arrivé au Chemin-Taché et c'est elle qui t'a vendu tes premiers crayons de mine, au moment où tu as commencé l'école. Je dis « vieille dame » mais, à ce moment-là, je n'étais pas encore vieille. Je n'avais que quarante-deux ans. À ton âge, tu avais certainement l'impression que je l'étais. Tu te demandes aussi comment il se fait qu'après tant d'années je réapparais dans le pay-sage, ton paysage, avec ce brouillon de lettre, ce manuscrit où je trace ces caractères extravagants qu'on nous faisait utiliser autrefois à l'école. On n'écrit plus comme ça aujourd'hui. Il s'agit pourtant des mêmes lettres et il n'y a pas à s'y tromper. Je sais que tu me comprends.

Et pourquoi t'écrirais-je? Je te répondrai naïvement: parce que j'ai envie, avant de mourir, d'écrire à quelqu'un, à quelqu'un qui me comprenne, et je ne vois personne d'autre que toi. Il y a aussi le fait que tu écris toi aussi. J'ai mis du temps à m'en rendre compte. D'abord, j'avais lu des contes de toi dans le *Journal illustré* ou l'*Hebdo-Journal*, je ne sais plus. Je n'étais pas sûre alors qu'il s'agissait du même Claude Martel que je connaissais. Puis, un jour, il a bien fallu que je me dise que ce Claude Martel, c'était le Claude qui me posait toutes sortes de questions naïves quand il était tout jeune et me regardait désemparé si je me moquais de lui. Tu sais que nous avons toujours été abonnés à *La Presse*. Tu le sais d'autant mieux que, pendant plusieurs années, c'est toi qui portais *La Presse* au père Michel, tous les jours, en revenant de l'école. Il m'est donc arrivé, en feuilletant *La Presse*, un bon jour, de voir ta photo et d'apprendre que tu avais publié un livre qui s'appelait *Les gens du Chemin-Taché*. Pour une surprise, c'en était une! On nommait le Chemin-Taché sur la couverture d'un livre. J'ai eu l'idée d'écrire à la maison d'édition pour avoir ce livre. J'étais sûre d'avance que j'allais reconnaître tous tes personnages. Je craignais même de me reconnaître au détour d'une page. J'avoue que j'ai été un peu déçue. Ma lecture finie, j'ai été obligée de me dire que je n'avais reconnu personne. Pendant deux ou trois semaines, je t'en ai voulu. Je me disais: il intitule son livre *Les gens du Chemin-Taché*, alors qu'en fait il ne s'agit pas d'eux du tout. Il me semblait que tu nous avais reniés, que tu avais voulu nous peindre autrement que nous étions. Sans le savoir, au fil des jours, je repensais à tout cela et, un soir de juillet que je me reposais sur la véranda, j'ai soudain compris que même si je ne reconnaissais personne dans tes histoires, je reconnaissais en même temps tout le monde, puisque c'était l'esprit des gens du Chemin-Taché que j'y retrouvais. Quand je lisais Henri Bordeaux, je ne pouvais faire de comparaisons entre ses personnages et les vrais, je veux dire ceux qui lui avaient servi de modèles pour son récit. C'était la même chose avec les autres romanciers que j'ai lus. N'avoir pu, en lisant ton livre, retrouver les personnages que je connaissais dans la réalité m'a donné un fameux coup.

Certains jours, je n'acceptais pas que l'auteur de ce livre soit le même Claude que j'avais vu grandir et courir autour de nos bâtiments, le même qui, à sept ou huit ans, me regardait travailler dans ma cuisine d'été avec des yeux qui semblaient toujours revenir d'un rêve quelconque. Te rappelles-tu le jour où — c'était tout juste avant que nous aménagions dans notre cuisine d'été, au sous-sol, et le poêle était au milieu de la place, attendant qu'Émile le remette en état de chauffer — tu m'avais demandé devant le tuyau qui n'était branché nulle part à quelle place on le brancherait. Je t'avais répondu, sans même y réfléchir, parce que la réponse était trop belle, qu'on allait, ce tuyau, te le brancher dans le trou de cul. Tu étais resté bouche bée et tu n'avais même pas souri. Puis, quelques secondes plus tard, tu t'en allais, sans dire un mot, sans me saluer. J'étais, moi, tout heureuse de t'avoir scandalisé un peu. Je me demandais si tu allais raconter cela à tes parents. Je ne sais pourquoi, j'ai toujours eu la conviction que tu ne leur as jamais parlé de cette histoire.

Le Claude Martel dont je voyais le nom sur la couverture du livre, était-ce celui que je voyais partir pour l'école et quelquefois en revenir, matin, midi et soir ? Était-ce celui que j'avais vu partir pour le collège, un jour, en le plaignant un peu, car je craignais que les pères ne réussissent à te convaincre de faire un prêtre ? Tes parents auraient bien souhaité que tu vires aussi mal. Tes parents et tous les autres du Chemin-Taché. Pas moi. Je ne voulais pas que tu perdes ta vie. Il me semblait que faire un prêtre, c'était perdre sa vie.

C'est le jour où tu es parti pour le collège que tu as commencé à me manquer. Quand on est près des gens qu'on aime, on ne se rend pas toujours compte qu'on les aime. Quand ils partent, c'est alors qu'on sent en soi une sorte d'irritation qu'on ne sait pas comment calmer. Je me demandais aussi comment il se faisait que le Chemin-Taché pouvait envoyer un de ses fils au collège. Tu ne t'en rendais pas compte, Claude, mais le Chemin-Taché, c'était un pays d'une pauvreté effroyable. Des jeunes gens qui allaient se faire un peu d'argent dans les chantiers pour aider les parents à payer leur terme de terre. Des habitants qui faisaient quelques cordes de bois l'hiver pour attendre l'été et les payes de beurre pour effacer les dettes au magasin général, dettes accumulées pendant les mois où la terre ne rend pas! Des enfants d'école qui viennent à l'école nu-pieds jusqu'à la première neige parce que des souliers, ça coûte trop cher! Des enfants qui vont porter, tout le reste de la mauvaise saison, des «rubbers» affreux pour se tenir au chaud parce qu'il faut bien se prémunir contre le froid! Tu ne te souviens peut-être pas de ça! Moi, je m'en souviens. Je m'en souviens plus que tous les autres parce que, justement, mes enfants ont toujours pu porter des souliers. Ils étaient des privilégiés. Et pourquoi? Tu le sais, pourquoi. Émile, le père Émile comme tu disais, le père Émile, mon mari, ne chômait jamais. Il n'était pas cultivateur. Il était menuisier. Il était le seul de la paroisse à avoir sa boutique. Même si la paroisse n'était pas très grande, elle suffisait largement à le garder occupé. Ainsi, chez nous, les rentrées étaient constantes et nous n'avons jamais été obligés de «faire marquer» chez les marchands, comme c'était le cas, pendant l'hiver, pour les cultivateurs.

Quand j'y pense, je me demande si nous n'étions pas la seule famille à l'aise, au Chemin-Taché. Tu vois, j'oubliais le père Odilon, en face, qui était certainement plus à l'aise que nous. Il avait deux fois plus de terre que tous les autres. Et vingt-cinq vaches au lieu de douze, cela rapporte un peu plus!

Combien de fois, assise sur la véranda, j'ai vu ces enfants d'école monter l'escalier de l'entrée, nu-pieds, mal habillés! Je me posais des questions et je finissais par me dire que c'était probablement la même chose dans toutes les paroisses environnantes, dans le monde entier. Mais pourquoi faut-il que les gens soient pauvres, me demandais-je? Je ne savais pas. Évidemment, aujourd'hui, je me rends compte que ce n'est pas une obligation. Il n'y a plus de pauvres par ici, du moins pas comme on l'entendait dans les années trente. J'ai employé l'expression « par ici » pour ne pas dire Saint-Amable ou le Chemin-Taché, pour la bonne raison que ton Chemin-Taché n'existe plus. Je t'en reparlerai.

❏

Mais tu ne sais pas encore qui je suis. Je suis, oui, la mère Émile Desjardins, Carmélia de mon prénom — le savais-tu? —, je suis la voisine de toujours que tu as connue sans la connaître, car tu ne t'es jamais demandé comment j'étais arrivée au Chemin-Taché. Je t'ai dit tout à l'heure que je venais de Cacouna. Mon père tenait un petit hôtel dans le centre du village. L'été, Cacouna était rempli de touristes américains. Pendant cette saison, tout allait bien. L'hiver, nous avions des chambreurs. J'ai donc été élevée, avec mes quatre frères, dans une famille qui n'a jamais manqué de rien. Comment ai-je pu quitter ce pays qui est, comme on dit, « au bord de la mer », même si c'est au bord du fleuve, pour venir m'enterrer dans une paroisse de colons comme Saint-Amable?

Comme histoire, c'est ce qu'il y a de plus simple. Je ne voulais pas faire une maîtresse d'école. Je ne voulais pas non plus épouser un cultivateur. Les odeurs d'étable ne m'ont jamais tellement plu. Dans le restaurant de l'hôtel où j'ai commencé à travailler quand j'ai quitté l'école, j'ai été à même de me frotter à plusieurs cultivateurs des environs qui ne sentaient pas toujours l'eau de Cologne. Plusieurs de ces jeunes farauds m'ont fait de l'œil parce que, même si je n'ai jamais été d'une grande beauté, j'étais, comme on disait, avenante et assez bien tournée. Tu as de la difficulté à m'imaginer ainsi puisque, quand tu m'as connue, j'avais déjà pris de l'embonpoint. Dès que, de près ou de loin, ça sentait l'étable, je me tenais sur mes gardes. Je n'osais dire cela à personne, et il m'en coûte de te le dire même aujourd'hui, mais il me semblait qu'une femme ne pouvait faire l'amour avec un homme qui venait d'aller soigner ses animaux. En tout cas, moi, je n'aurais pas pu. Tu vas me demander comment il se fait que nous avons, tout en n'étant pas cultivateurs, toujours gardé une vache et des poules. Pour avoir du lait et des œufs! Et je suis sûre qu'une vache qui vit seule sent beaucoup moins la vache et les odeurs d'étable que tous ces troupeaux qui se regardent avec des yeux de revenants.

Je ne pouvais donc pas accepter les faveurs d'un fils de cultivateur. Un jour, au restaurant, je me suis rendu compte qu'un client qui revenait faire son tour une fois de temps en temps me regardait d'un drôle d'air. Ce n'était pas ce qu'on appelle un don Juan. mais il avait un physique agréable. Bien bâti. Un peu plus grand que moi. C'était important, puisque je suis plus grande que bien des hommes. En payant à la caisse, il souriait timidement. Sans avoir l'intention de m'en faire un amoureux, un jour, je lui ai demandé s'il était de Cacouna. Il m'a dit qu'il habitait au Chemin-Taché. Je n'avais jamais entendu parler du Chemin-Taché. Il m'a expliqué que ce n'était pas si loin que ça, que c'était un pays de colons qui était en train de devenir un pays de vrais cultivateurs. Je lui ai aussitôt demandé s'il en était un. Il s'est mis à rire. Il m'a finalement avoué qu'il était ouvrier. Je ne comprenais pas ce qu'il voulait dire. Puis, il m'a parlé de sa boutique. Ouvrier, j'ai fini par comprendre que cela voulait dire quelqu'un qui travaille le bois. En fait, Émile était surtout un fabricant de portes et de fenêtres, ce qu'on appelle aujourd'hui un menuisier.

Je n'ai pas l'intention de te raconter toute mon histoire avec Émile. Il était amoureux de moi. Je ne l'étais pas de lui. Mais, comme je n'étais amoureuse de personne, j'ai accepté ses avances et, un bon jour, je me suis retrouvée avec Émile dans sa boutique du Chemin-Taché. L'odeur du bois, l'odeur des bonnes ripes, l'odeur de la résine, tout cela m'a fait chavirer l'esprit et, le dimanche suivant, Émile dînait chez nous. Mes parents n'ont fait aucune objection à nos fréquentations. L'été suivant, je l'épousais et je quittais Cacouna pour le Chemin-Taché.

J'ai regretté un peu le bord de la mer et les promenades que je faisais avec des amies, l'été, sur la grève. Mais il fallait bien que je finisse par épouser quelqu'un. Par surcroît, j'avais trouvé un parti convenable. Je n'étais pas amoureuse de lui mais, comme je n'avais pas encore fait l'expérience de l'amour, je ne me sentais pas malheureuse. J'ai appris plus tard ce que c'était que d'aimer. À cause des circonstances, j'ai dû enterrer cet amour dans mon cœur. Aurais-tu pu te douter que, pendant plusieurs années, j'ai aimé Michel Ouellet, le père Michel à qui tu allais porter *La Presse* tous les jours, d'une passion absolument folle? Rappelle-toi un peu cet homme bien droit, avec son allure de garçon de ville transplanté à la campagne! Quand je suis arrivée ici, il avait vingt-neuf ans. Tu imagines. Rien qu'à le voir passer sur la route, j'en tremblais de tous mes membres. Pendant deux ans au moins, j'ai tourné en rond en songeant à lui à cœur de jour. Émile se demandait quelquefois ce qui se passait. Il me disait : « On dirait que t'as l'air triste. » Je répondais évasivement. Je lui disais que j'étais enceinte et que... que l'attente de Martial, mon premier enfant, me rendait nerveuse. Triste, je l'étais évidemment. Comment peut-on vivre quand on désire autant un homme et qu'on sait qu'on ne pourra jamais l'avoir ? Le pire, c'est qu'Émile, qui était un des amis de Michel, m'amenait de temps en temps faire un bout de veillée chez lui. J'enviais sa femme de passer ses journées à côté d'un homme aussi extraordinaire ; j'étais surprise, chaque fois, de la voir si indifférente envers lui. Quand il lui parlait, on aurait dit qu'elle ne l'entendait pas. Elle finissait par murmurer : « Oui oui oui, j'ai compris. Michel, tu n'as pas besoin de me le dire dix fois. » Je l'enviais et je la détestais. Il était clair et net qu'elle n'aimait pas son mari. Comment, me disais-je, pouvait-elle ne pas voir quel homme merveilleux habitait sous son toit ? Quand, avec les années, mon grand amour s'est peu à peu transformé en amitié douce et belle j'ai fini par comprendre que l'amour est la chose la plus injuste du monde, qu'il est distribué sans aucun discernement. La plupart du temps, celui qui aime ne reçoit rien en retour, et celui qui est aimé reste indifférent devant la passion de l'autre. Y a-t-il plus grande injustice ? Même quand ma passion pour Michel s'est apaisée, j'ai continué de désirer vivre avec lui plutôt qu'avec Émile. Je me serais tellement mieux sentie à ses côtés. Mais la vie m'avait donné Émile. Certains jours, je m'en voulais de ne pas pouvoir lui rendre l'amour qu'il me donnait. Son ardeur a diminué au fil des années. Et sans nous en rendre compte, nous sommes devenus un couple normal. Nous

avons vécu pour nos enfants, nous contentant de faire
l'amour une fois par mois. Les enfants prennent tellement
de place dans nos vies qu'on finit par ne plus avoir le
temps de se poser de questions. Je ne voulais que deux ou
trois enfants et j'ai fini par en avoir six. C'est raisonnable.
Je ne me sentais pas le courage d'élever des douzaines
d'enfants, comme tous les gens autour de nous, mais je n'ai
jamais regretté d'avoir eu ceux que j'ai eus. Mon fils aîné
n'a jamais fait autre chose que de travailler avec son père,
dans la boutique. On aurait dit que les filles le laissaient
indifférent. Il s'est réveillé le jour où est apparue cette jeune
institutrice qui nous arrivait de Rimouski avec un beau
diplôme tout neuf et un sourire à faire damner tous les
garçons. Évidemment, il s'est mis sur les rangs. Mais la
belle demoiselle se contentait d'être gentille avec tout le
monde. Elle avait déjà dans le cœur un grand amour. Et
Martial — comme tous les garçons du Chemin-Taché qui
soupiraient en secret — en a été quitte pour continuer à
soupirer. Le drame de mon fils était plus voyant que celui
des autres puisque, comme tu le sais, les institutrices, sauf
une ou deux exceptions, ont toujours habité chez nous. J'ai
vu, pour ainsi dire, mon fils se mourir d'amour en face de
moi, pendant un an, impuissante à faire quoi que ce soit
pour le sauver. Il a mis des années à s'en remettre et il ne
s'est jamais marié. Je ne lui ai jamais demandé pourquoi. Je
le savais. Même si je le lui avais demandé, qu'aurait-il pu
me répondre?

Le sort, en somme, ne m'a pas été trop défavorable. J'ai
eu de bons enfants. Je les ai aimés et j'ai fait ce que j'ai pu
pour eux. Tu les as tous bien connus, puisque tu venais
souvent faire ton tour à la boutique de mon mari ou même
à la maison. Mais ils étaient plus vieux que toi, sauf la
cadette, Josée, avec qui tu t'entendais plutôt bien, à l'école,
si je ne me trompe. Je demeure toujours avec Josée. Elle est

déjà grand-mère depuis quelques années, ce qui veut dire que je suis arrière-grand-mère. À mon âge — j'ai quatre-vingt-huit ans —, j'ai quelquefois l'impression d'être une sorte de fantôme qui se promène dans le temps.

Un fantôme, oui, mais un fantôme vivant. Je n'ai jamais vraiment joui de l'amour d'un homme, mais je peux te dire, par ailleurs, que j'ai joui de la vie. Et j'en jouis encore. J'ai de la chance. Les gens de ma famille sont des gens qui vivent vieux et qui restent en santé jusqu'à la fin de leurs jours. N'importe qui, à mon âge, s'imaginerait que la mort est pour demain. Pour dire la vérité, la mort me fait peur. Il y a longtemps, très longtemps que j'ai mis de côté les simagrées de la religion. Si tu ne savais pas cela, tu t'en doutais. Est-ce que tu m'as vue aller à la messe une seule fois après la mort de Marie-Ève ? Marie-Ève, j'y viendrai plus tard. C'est elle surtout dont je veux parler dans cette lettre. Pour parler d'elle, il faut d'abord que je parle de moi, que je parle de ceux qui m'ont permis de jouir de la vie.

L'amour que j'ai ressenti pour Michel Ouellet — et je prononce son nom encore aujourd'hui avec une douceur qui me confond moi-même —, l'amour que je n'ai pu vivre m'a au moins fait découvrir qu'on pouvait devenir fou d'aimer quelqu'un. Je me demande quelquefois comment j'ai fait pour résister à la tentation de tout laisser, comment j'ai fait pour ne rien détruire autour de moi, alors que j'avais le désespoir dans l'âme. Se dire : je donnerais tout pour lui, je ferais les plus grandes folies pour l'avoir à moi, ne serait-ce qu'une journée, une heure, et se rendre compte que rien n'est possible ! Même si Michel Ouellet était devenu amoureux de moi, il n'aurait jamais accepté, lui non plus, de transgresser les lois, je veux dire les barrières que la société avait élevées autour de nous. Ah ! que je vous envie aujourd'hui de vivre dans une société qui a déjà brisé un grand nombre de ces barrières, qui en brisera encore plus dans l'avenir ! L'être humain n'est pas fait pour vivre emprisonné. Et j'ai été prisonnière, physiquement parlant, toute ma vie. Si, à un moment de ma vie, je n'avais pas découvert les livres qui m'ont permis de m'évader, de vivre mes amours par l'esprit, je serais certainement devenue folle, comme la fille aînée de Michel Ouellet qui, un jour, a dit non à tout. Elle ne voulait plus rien savoir. Elle refusait d'aider qui que ce soit à la maison. Elle refusait de recevoir son cavalier. Elle refusait de se mettre à table. Elle disait non et non et non. On a donc décidé qu'elle était folle et on l'a fait monter de force dans une voiture et on l'a menée à Saint-Michel-Archange. Elle savait très bien où on l'amenait. Après quelques mois, quand on lui a demandé si elle voulait revenir dans sa famille, elle a opposé une fin de non-recevoir. Elle préférait rester à l'asile et passer pour folle. À la fin, on lui a trouvé du travail dans un hôpital de Montréal. C'est là qu'elle a rencontré un garçon qui en a fait sa femme. Mais elle n'est jamais revenue au Chemin-Taché, elle a toujours refusé de revoir sa parenté. Tu me diras que cette Lina Ouellet était un cas un peu spécial. Je suis bien d'accord. Je ne sais pas comment on peut faire pour mettre de côté toute sa famille. Une enfant qui serait maltraitée, je ne dis pas. Ce n'était pas le cas de Lina Ouellet. Elle fréquentait encore l'école quand tu as commencé à y aller. Et sa sœur Rose qui était si belle ! Des enfants que leurs parents adoraient. Pourtant, à dix-sept ans, Lina a décidé qu'elle n'en pouvait plus du monde autour d'elle. Sa fermeté lui a presque coûté la vie. Heureusement, elle a fini par s'en sortir.

Mon cas était différent. Aucune issue en vue. J'ai aimé jusqu'au tourment un homme qui ne s'en est peut-être jamais douté. Si Émile a eu l'impression, certains soirs, que sa femme faisait vraiment bien l'amour, c'est tout simplement que ce n'était pas lui qui me faisait l'amour, à ce moment-là, mais Michel Ouellet. Mon Dieu! quelles visions érotiques je me suis créées pour accepter de continuer à vivre cette vie de petitesse. Et Michel Ouellet, n'est-il pas responsable des derniers enfants que j'ai eus? Sans lui, n'aurais-je pas obligé Émile à modérer ses transports? Ne l'aurais-je pas obligé à faire chambre à part? Mais comment peut-on faire chambre à part quand on s'est marié devant la sainte Église? Personne n'aurait compris.

Même Henri Bordeaux, le bien-pensant, n'aurait pas compris. Je ne voudrais pas trop médire de ce romancier qui m'a obligée, à un moment donné, à me poser des questions. Quand je le lisais, je ne savais pas encore ce que c'était que la littérature. Je n'oserais même pas dire, encore aujourd'hui, que je sais ce que c'est. J'en ai quand même une bonne idée. Et si ma mère ne m'avait pas fait quitter l'école, je crois que ma vie aurait pu prendre une tout autre tournure. J'aurais probablement fait la connaissance du monde de la fiction avant d'obtenir mon diplôme, et ce n'est pas à quarante-cinq ans, mais à vingt, que je me serais prise de passion pour la lecture. J'aurais voulu quitter Cacouna pour Québec ou Montréal, qui sait? Qui sait si, comme toi, je n'aurais pas écrit un livre intitulé *Les gens de Cacouna*? J'en aurais long à dire sur les religieuses qui m'ont appris à écrire et qui m'ont en même temps rempli le crâne de tant de niaiseries. Comment leur en voudrais-je? Elles étaient si sincères dans leur grande naïveté! Quand je repense à tout cela, à toutes ces énergies dépensées en pure perte, je me dis que cela aussi, c'était la pauvreté. C'était notre pauvreté. Une pauvreté aussi minable que celle des gens du Chemin-Taché qui envoyaient des garçons de quinze ans dans les chantiers pour pouvoir payer leur terme de terre et continuer à manger des pommes de terre avec un peu de viande.

Il n'était pas question de moi, je m'en suis bien rendu compte, dans tes *Gens du Chemin-Taché* et il n'était pas question de moi non plus dans *La colère du clan*. Je n'ai pas lu tous tes livres, mais j'en ai lu cinq ou six et, chaque fois, je craignais de me reconnaître dans l'un ou l'autre de tes personnages. Je craignais que cela se produise, mais je le souhaitais en même temps. Et c'est peut-être la raison qui m'oblige, avant de mourir — mais j'ai encore plusieurs années à vivre —, à t'écrire cette lettre. En réfléchissant à tout cela, au fil des années, je me suis dit : qu'est-ce que je lui ai fait, à ce garçon, pour qu'il m'ignore si totalement ? Tu t'arranges pour que personne ne se reconnaisse. Pourtant, tu t'es servi de tout le monde, et même d'Émile, que j'ai cru reconnaître au détour de la route dans *L'automne qui sourit*. Mais pas la moindre allusion à la mère Desjardins.

Pourtant, nous avons été voisins. Et nos maisons étaient si proches l'une de l'autre que l'été, quand les portes étaient ouvertes, je pouvais entendre ton père vous gronder. Vous avez dû aussi m'entendre à quelques reprises quand je voulais vous faire savoir que je n'aimais pas vos manières. C'est ainsi, par exemple, que je me suis arrangée pour vous obliger à garder vos poules chez vous. J'en avais assez de voir toute cette basse-cour dans mes jambes chaque fois que je voulais me rendre à la boutique d'Émile. Alors j'ai demandé à Josée de faire place nette. Pendant qu'elle faisait aller son fouet, je criais : « Vas-y, n'aie pas peur, casse-leur les pattes si c'est nécessaire ! »

Ta mère m'a entendue, j'en suis sûre. Nous n'avons plus revu vos poules chez nous. Et j'avais évité la chicane, puisque je ne vous avais fait aucun reproche, pas la moindre petite remarque au sujet de ces poules bleues dont vous étiez si fiers. Elles pondaient tous les jours, paraît-il. Des œufs si petits qu'il en fallait une douzaine pour faire une bonne omelette. Sincèrement, vos poules bleues, je n'en ai jamais été jalouse. Sans compter qu'elles volaient presque comme des oiseaux. Je me demande où ton père était allé chercher cette volaille. J'avoue que cela mettait de la vie autour de nous quand elles s'évadaient de leur poulailler, l'hiver, et qu'elles s'amusaient à voler d'un toit de grange à un toit de maison. Mais je préférais faire mes omelettes avec les œufs de mes poules.

Je suis en train de perdre le fil de mes pensées. C'est peut-être aussi bien comme cela. Est-ce que j'en arriverai vraiment au cœur de mon récit ? Comment puis-je le savoir, puisque je n'ai pas l'habitude d'écrire ? Mais je viens de prononcer le mot « récit » et j'en suis tout éberluée. Mon idée, c'était de t'écrire une lettre parce que j'avais des choses à te dire, des choses à t'apprendre sur ceux du Chemin-Taché, mais jamais je n'ai eu l'idée que cette lettre deviendrait un récit. Maintenant, je me pose la question. Est-ce que je l'ai eue, cette idée, ou non ? Est-ce que vraiment, à mon âge, j'aurais envie d'écrire une histoire qui ressemblerait à un roman, à ce que tu appelles, toi, un récit ?

❑

Laissons cela.

Je ne veux pas réfléchir à la forme que cette lettre va prendre parce que cela m'empêcherait probablement de continuer. Et il est important que je continue pour toutes sortes de raisons. Tu t'en rendras compte, un peu plus tard, si je parviens à mes fins. Je voudrais d'abord — et c'est le premier message de ma lettre — que tu saches que j'ai existé, que j'existe encore et que tu n'avais pas raison de m'ignorer quand tu t'es mis à parler des gens du Chemin-Taché. S'il faut, pour que je prenne place parmi tous ces personnages fictifs que tu as tirés de personnages réels,

que j'invente mon propre personnage, eh bien, je suis prête
à le faire! Je me rends compte d'ailleurs que tes personnages masculins sont beaucoup plus forts que tes personnages féminins. Les deux femmes que tu nous présentes
dans *La bête sauvage* sont très sympathiques. Le mari ne
l'est pas. Mais il est autrement vivant que ses deux
épouses. Pourquoi? Est-ce que, par hasard, tu ne te sentirais capable de créer que des femmes faibles ou soumises?
Cela expliquerait, en partie, que tu m'aies mise de côté. Je
ne suis pas une femme faible. Je ne suis pas une femme
soumise. Je ne commande presque pas. Tous mes enfants
pourraient te le dire. Je n'ai jamais essayé de dominer
Émile. L'entente avec lui a été presque parfaite. Malgré
tout, j'ai toujours eu l'impression de dominer tout le
monde. Et parce que j'avais cette impression, il est bien
possible que les gens aient eu les mêmes sentiments. Cela
est possible, je n'en suis pas sûre. Ce dont je suis sûre, c'est
que, malgré tout, les gens se sentaient en sympathie avec
moi. Mon vocabulaire affectueux a toujours été restreint
parce que, dans le fond, je suis timide. J'ai toujours aimé les
gens autour de moi. À mon arrivée ici, à certains moments,
je les ai ridiculisés, intérieurement. Et puis, je me suis
ridiculisée de les ridiculiser. J'ai commencé par avoir pitié
d'eux. Peu à peu, j'ai appris à les aimer. Mais je n'étais pas
douée pour faire des compliments. Tu sais très bien,
Claude, que je ne t'aurais pas dit qu'on allait te brancher le
tuyau du poêle dans le cul si je n'avais eu, en même temps,
une grande envie de te serrer dans mes bras. Quand on ne
peut pas dire aux gens qu'on les aime, on trouve une autre
façon d'exprimer ses sentiments. Le malheur, c'est qui si on
n'est pas assez habile pour inventer l'image qu'il faut, à ce
moment-là, on risque de se faire des ennemis. Je me suis
toujours demandé si je n'étais pas allée trop loin avec cette
histoire de tuyau. C'est peut-être, sans le savoir, la raison

pour laquelle tu as fait semblant de m'oublier. Moi, je ne t'ai pas oublié. Surtout que, depuis ton départ pour Québec, Montréal, les États, tu t'es manifesté d'une façon bien spéciale. Écrire des livres sur le Chemin-Taché et mettre le Chemin-Taché dans le titre! Tu vas un peu trop loin. Plus je vieillis, plus je me dis que c'est un plaisir d'aller trop loin. On ne reproche jamais à quelqu'un d'avoir fait le voyage qu'il devait faire. On fait des reproches à ceux qui s'égarent ou alors on s'émerveille de leur égarement. Si j'écrivais un roman, je l'intitulerais *Égarement*. Est-ce que ce n'est pas là l'essence même de la vie? S'égarer pour que l'expérience soit nouvelle, soit unique. S'égarer pour rencontrer un sourire qu'autrement on n'aurait jamais vu. Si tu savais comme, au Chemin-Taché, l'égarement me manque! Je suis arrivée ici à vingt-trois ans et j'en ai maintenant quatre-vingt-huit. Tu te rends compte? J'ai perdu ma vie et je ne l'ai pas perdue. Il y a la vie qui pousse autour de moi dans les champs aussi bien que dans toutes ces repousses d'arbres que sont mes petits-enfants et même mes arrière-petits-enfants. Évidemment, si c'était à recommencer, je ne voudrais pas passer à côté de l'amour. C'est la chose qui compte avant tout. Michel, toujours le même Michel, celui que tu appelais le père Michel, s'est laissé mourir, il y a quelques années, d'une pneumonie. Je suis allée le voir avant qu'on l'emporte au cimetière. Il avait soixante et onze ans. Il en paraissait vingt. Je sais bien, je sais bien, Claude, qu'il n'en paraissait pas vingt. Mais je l'aimais toujours. Je crois que si j'avais été seule avec lui dans cette chambre mortuaire, je l'aurais embrassé sur la bouche. C'est de la démence, j'en suis consciente. Mais qu'est-ce qu'on peut faire quand l'amour nous possède comme il m'a possédée pendant tant d'an-nées? Qu'est-ce que mes enfants diraient s'ils m'enten-daient parler, s'ils lisaient ce que je suis en train d'écrire? Je

m'en fais pour eux et je ne devrais pas. Ils ne sont pas si
bêtes. Ils comprendraient. Ils me traiteraient peut-être de
vieille folle, mais ils comprendraient. À cause de l'attitude
réservée qui leur vient d'Émile, ils seraient un peu surpris,
mais ils finiraient par comprendre. Et même s'ils ne
comprenaient pas ? Je leur ai donné la vie pour qu'ils en
jouissent. Je me donne la vie, moi aussi, en mettant mes
secrets à nu.

Michel, c'est le genre de garçon qui reste beau et jeune
toute sa vie. Il s'est bien laissé pousser quelques rides en
vieillissant. Elles lui donnaient encore plus d'allure. On
aurait dit qu'elles accentuaient son sourire. Une seule fois
dans ma vie, j'ai eu l'occasion de le tenir dans mes bras. En
une soirée, j'ai fait une provision de joies que je n'ai pas
encore fini de dépenser. C'était aux noces de sa nièce, il y a,
je crois, trente-deux ans, à l'autre bout du Chemin-Taché.
Nous avions été invités parce que le père du marié était un
ami d'Émile. Nous avons dansé pendant des heures au son
du violon à Israël Ouellet. J'avais eu la bonne fortune,
même si j'étais plus âgée que Michel, d'être sa partenaire
presque tout le temps que les danses ont duré. J'ai pu ainsi
le regarder dans les yeux de longs moments. S'il ne s'est
pas rendu compte, ce soir-là, que la flamme qu'il voyait
danser dans les miens était une folie d'amour, il n'était pas
très perspicace. Mais je suis sûre qu'il a compris. Nos
relations n'ont plus été les mêmes par la suite. Son regard,
chaque fois qu'il rencontrait le mien, par hasard, se voilait
rapidement, se chargeait d'une émotion qui transformait
tout son être. Quelques années après cette noce, lui et sa
femme sont venus nous souhaiter la bonne année, au jour
de l'An. Mon mari s'est demandé tout haut, après leur
départ, pourquoi ils nous avaient rendu visite le premier
jour de cette année-là. Moi, je savais pourquoi. J'avais
compris au moment où il m'avait serré la main et em-

brassée. Émile voulait une réponse. « Mais je n'en sais pas plus que toi, Émile. Ils étaient seuls à la maison et ils voulaient voir des amis, la première journée de l'année ! » Émile a grogné quelque chose. Ma réponse ne l'avait pas convaincu. J'ai compris finalement qu'il craignait que Michel ne veuille devenir un peu plus ami avec lui pour pouvoir lui acheter des fenêtres doubles à crédit. Il a effectivement acheté des fenêtres doubles quelques jours plus tard, mais il les a payées comptant. Et j'ai entendu Émile dire, ce soir-là, en rentrant : « Je comprends encore moins ! »

Au moins, si Émile avait été beau !

Oh ! quand je l'ai épousé, il avait belle apparence ! Une fois marié, il s'est organisé une petite vie de routine qui lui a tout de suite donné des airs de petit vieux. Je ne l'ai jamais très bien compris. Il écoutait la radio. Il lisait *La Presse* et cela lui donnait toutes sortes d'idées qui, il me semble, auraient dû l'obliger à sortir de sa routine. Il était fou, par exemple, des voitures qui commençaient à faire leur apparition, même à la campagne. À l'entendre discourir, je n'aurais pas été surprise de le voir arriver un jour avec une motocyclette. Mais pour arriver avec une voiture ou une motocyclette, il aurait fallu qu'il parte, qu'il se rende à Rivière-du-Loup, à Québec. Il n'a jamais parlé de partir. Le moindre petit voyage lui faisait peur.

Je t'entends presque me dire qu'une voiture, nous en avons quand même eu une ! Oui, nous en avons eu une quand Martial, notre aîné, a pu prouver à Émile qu'il nous en fallait une. Il n'a pas eu de difficulté à le convaincre. Émile n'attendait que la proposition de son fils pour sortir son argent de la banque. C'est donc Martial qui est allé chercher cette merveille chez un vendeur d'autos à Trois-Pistoles. Je n'ai pas besoin de te dire à quel point nous étions fiers de cette machine dont le moteur se mettait à ronfler dès que Martial ou Ovide le faisait démarrer avec cette manivelle qu'il fallait brancher en avant. On la sortait du garage, le samedi soir, pour aller à la grand-messe le lendemain. Les gens nous regardaient passer avec envie. Toi, tes frères et tes sœurs, vous êtes tous venus l'admirer pendant qu'Ovide la lavait religieusement le lundi soir. Auparavant, il vous faisait faire une promenade dans le quatrième rang ou dans un rang de Saint-Clément et vous en reveniez avec du rêve plein les yeux.

Émile a mis beaucoup de temps à apprendre à conduire. Je n'ai jamais compris pourquoi. On aurait dit que, pour lui, les choses nouvelles, elles appartenaient à la jeunesse. Pourtant, au moment où nous avons eu cette voiture, il n'était pas vieux. C'est surtout à cette époque-là que j'aurais eu le plus de plaisir à partir seule avec lui, pour de lointaines randonnées. J'aurais voulu aller jusqu'à Montréal. Cela n'était pas possible, puisqu'il aurait fallu que Martial ou Ovide vienne nous reconduire. Il voulait bien quelquefois m'amener à Cacouna. Quand il s'agissait de faire des centaines de milles, ce n'était plus la même chose. J'ai fini par voir Montréal, mais ce n'est pas Émile qui m'y a amenée. La grande ville m'a tout simplement émerveillée. Il est vrai que, pendant les trois jours que j'ai passés là-bas, mon frère aîné, qui était installé là depuis de nombreuses années, a voulu m'en faire voir de toutes les couleurs pour me faire regretter d'avoir passé tant d'années à Saint-Amable et au Chemin-Taché. J'ai eu envie, quelque temps après, d'aller y finir mes jours. Je me suis rendu compte que je ne pouvais plus changer mes habitudes. J'avais près de soixante-dix ans et, même si j'étais en bonne santé, j'ai jugé qu'il était trop tard pour adopter un nouveau rythme de vie. Je suis restée bien tranquillement ici à regretter mes morts.

Je disais donc: au moins, si Émile avait été beau! Quand tu l'as connu, toi, il avait déjà pris l'apparence qu'il allait garder le reste de sa vie. Je crois en effet que c'est un an ou deux avant que vous n'arriviez au Chemin-Taché qu'Émile, en découpant ses planches pour faire ses meubles, a reçu une éclisse de bois dans l'œil gauche. Il est arrivé à la maison en saignant et en geignant. Nous avons pansé son œil du mieux que nous avons pu. Nous avons envoyé chercher le maire Gédéon qui était le seul, à ce moment-là, à avoir une voiture, et c'est ainsi qu'il est parti pour l'hôpital. Il en est revenu dix jours plus tard. La blessure n'était pas encore complètement guérie. Émile avait perdu son œil gauche. La peine que j'ai eue ! Cet accident m'a peut-être plus bouleversée que lui. Je croyais qu'il ne voudrait plus retourner à sa boutique et reprendre ses outils. Si une chose pareille m'était arrivée, j'en aurais voulu à Dieu et à tous ses saints pour au moins deux mille ans. Je l'ai encouragé du mieux que j'ai pu. Dans un sens, cette aventure nous a rapprochés. J'ai compris qu'il y avait chez lui une sorte de grande bonté, une force intérieure que je ne soupçonnais pas. Si ce n'est pas de l'amour que j'ai ressenti pour lui, après cet accident, c'est une grande tendresse.

Il a recommencé à aller travailler à sa boutique avec un seul œil, comme si de rien n'était. Il avait accepté son sort avec une tranquillité extraordinaire. C'est à partir de ce jour-là, cependant, qu'il a commencé à courber les épaules. En quelques semaines, il venait de vieillir de plusieurs années. Après, il n'a presque plus changé. Je suis sûre que, quand tu le revois, c'est toujours la silhouette de l'homme aux épaules affaissées que tu vois. Il est mort quelques années après Michel Ouellet — cela fait maintenant quatorze ans — d'une maladie du foie. Quand il est allé se faire soigner à l'hôpital, il était déjà trop tard. Il n'avait que soixante-neuf ans. J'ai eu beaucoup de peine de le voir partir. Je me sentais déjà un peu plus seule, même si, depuis des années, la maison s'était déjà remplie de rires jeunes. Nous nous retirions dans nos quartiers, au dernier étage, où nous avions un salon qui nous était réservé et c'est là que nous écoutions ensemble *Les belles histoires des pays d'en haut*. Quelques années avant sa mort, la télévision nous a enfin permis de mieux faire connaissance avec Séraphin, Donalda et tous les autres qui font partie du clan. Pendant des années, nous avons suivi cette émission religieusement, tout en vouant à Séraphin une haine mortelle. Je me suis posé beaucoup de questions au sujet de Donalda. Je la prenais en pitié, mais pourquoi tant de soumission devant son mari ? Émile, lui, acceptait ce personnage tel quel. L'influence des romans que j'avais lus m'obligeait à me montrer plus critique à son égard. Je me suis encore posé plus de questions à son sujet quand, par hasard, j'ai lu une sorte de petit roman qui s'appelle *Maria Chapdelaine* et dont j'ai oublié le nom de l'auteur, mais que tu dois connaître, puisque tu enseignes le français. Je suis tombée sur *Maria Chapdelaine* lors d'un voyage à Cacouna. Le livre était exposé dans la vitrine d'un libraire. On avait ajouté en gros caractères que c'était le plus beau roman du Canada français. Je l'ai acheté. Je l'ai lu, je pense bien, trois ou quatre fois. C'est après ma première lecture que, soudain, je me suis dit que Maria et Donalda étaient presque des sœurs jumelles. Je vais raconter des âneries, mais cela m'est égal. Je connais plusieurs femmes à Saint-Amable et aux alentours qui sont des esclaves, mais aucune ne l'est à la façon de Donalda et de Maria. Elles obéissent à leur mari peut-être, elles en ont peur, mais elles lui donnent des enfants. Je comprends que Donalda n'aura jamais d'enfant parce que Séraphin est Séraphin. La question que je me pose, c'est celle-ci : à quoi rime cette Donalda dans un pays comme le nôtre ? Je me pose la même question au sujet de Maria. Je ne suis pas sûre du tout qu'elle va épouser le colon qui veut absolument l'amener dans son lit. De toute façon, le livre se termine avant que le colon réussisse son exploit. Même si Maria ne parle presque jamais, je la crois incapable, parce que trop intelligente, d'accepter à la fin les faveurs d'un grossier personnage. Elle n'aura pas d'enfants, elle non plus. Comment comprendre? À quoi pensaient les auteurs de ces romans quand ils ont inventé leurs personnages? Quand on y réfléchit bien, Donalda et Maria, c'est des saintes vierges manquées. Je dis «manquées», mais je vais probablement trop loin, c'est des saintes vierges tout court. En regardant autour de moi, je ne vois que des femmes suivies de douzaines d'enfants. Celui qui a fait Donalda nous propose, à l'encontre du bon sens, une femme inféconde. L'auteur de Maria nous offre une femme qui se morfond, après avoir perdu son grand amour. Comment se fait-il que dans un roman comme *Maria Chapdelaine* et dans les romans qui nous arrivent par la radio ou la télévision, comme *Les belles histoires des pays d'en haut*, on se tienne si loin de la vie normale des gens ordinaires? Est-ce que tu comprends, toi, Claude, pourquoi les femmes des romans n'ont rien à voir avec celles que tu connais et que je connais? J'avouerai quand même que *Maria Chapdelaine*, c'est un livre qui m'a remuée. Il reste que c'est Laura qui est le personnage central de toute cette histoire. Je lui en veux de se laisser avoir par son imbécile de mari, mais peut-on lui reprocher de l'aimer? On nous laisse croire qu'il s'agit d'une famille de colons pauvres. Moi, je me demande ce que le père a fait de l'argent qu'il a retiré de la vente des terres qu'il avait défrichées avant de s'en aller toujours plus au nord. Il me semble qu'on est assez pauvres sans vouloir se montrer encore plus démunis qu'on n'est.

Je n'en dis pas plus là-dessus parce que j'ai peur de passer pour une idiote. Mais *Les belles histoires* nous ont permis, à Émile et à moi, de vivre de belles heures ensemble. Après sa mort, je n'ai plus jamais voulu regarder cette émission. J'aimais mieux regarder des films. Cela me faisait rêver pendant quelques heures, quelques jours.

Mes enfants sont tous mariés depuis des années, sauf Martial. Ovide est devenu cultivateur à Saint-Clément. Léocadie a épousé, elle aussi, un cultivateur qui demeure dans la grande ligne-sud. Gervaise, qui n'aime pas les senteurs d'étable, s'est emparée d'un commerçant de Rivière-du-Loup. Martial travaille toujours dans la boutique de son père. Et Josée, la cadette qui est à peu près de ton âge, a de grands enfants qui mènent le bal en bas. Son mari a pris la place d'Émile, dans la boutique, et le travail ne manque pas. Une seule ombre au tableau : Marie-Ève !

❑

J'ai eu envie de dire que si elle était encore là, ce tableau serait presque parfait. Le malheur, c'est que le Chemin-Taché que tu as connu n'existe plus. Le Chemin-Taché, c'était le plus beau rang de la paroisse, celui où il y avait le plus de vie. Te souviens-tu quand tu as commencé l'école ? Nous n'avions, à ce moment-là, qu'une institutrice. Tu devais être en 3e et 4e année quand, à cause du flot d'enfants qui étaient d'âge scolaire, les commissaires ont été obligés de faire finir le premier étage de l'école et d'y installer une deuxième classe. Cela voulait dire qu'il y avait du monde au Chemin-Taché. Nous avions un bureau de poste, une beurrerie, un forgeron et la boutique d'Émile. Il y avait même deux familles de journaliers qui s'étaient installées ici, l'une à côté de l'école dans une maison qui appartenait au père Odilon, et l'autre dans l'ancienne école qu'on avait déménagée un peu plus loin sur la terre des Saint-Denis.

Moi qui ai toujours été curieuse de nature, moi qui aimais voir passer les gens sur la route, j'en voyais à cette époque tout mon content. Votre maison était bâtie un peu plus près de la route que la nôtre, ce qui ne me créait pas trop de problèmes parce que, pendant plusieurs années, j'ai eu la possibilité de voir très loin vers l'ouest par la fenêtre nord de notre grande cuisine. Mais ta mère avait quelquefois des idées étranges. D'abord, elle a fait planter une rangée de peupliers en face de la maison. Au commencement, les peupliers ne gênaient pas trop ma vue. Puis ils se sont mis à grandir. C'était bien embêtant. N'y avait-il pas assez du gros orme qui se trouvait entre nos deux maisons, sur le bord de la route ? Nous avons essayé de le faire périr chaque année en déversant sur ses racines des seaux de saumure. Nous n'avons jamais réussi à le tuer. La saumure a quand même fait un bon travail en privant de sève certaines branches. Ces trous laissés par les branches mortes me permettaient de contenter ma curiosité. Puis, ta mère a eu une autre idée. Elle s'est fait bâtir une véranda plutôt large et spacieuse. Elle était peut-être jalouse de celles que nous avions du côté nord comme du côté sud, chez nous. Peut-être pas non plus. Sa véranda, elle s'en est bien servi. Elle sortait sa berçante, dès les premiers beaux jours du printemps, et passait des soirées à admirer la nature ou à lire des revues auxquelles elle était abonnée. J'ai eu envie de lui passer quelques romans, mais je me suis vite rendu compte que la vie inventée ne l'intéressait pas.

Passe pour la véranda qui ne me bouchait pas la vue, puisque ma fenêtre la dominait. Mais la véranda ne suffisait pas à ta mère. Elle a fait planter, de chaque côté de l'escalier, des lilas qu'elle était allée chercher chez son père, à Saint-Antonin. Cela ne m'a pas gênée la première ou la deuxième année, mais je me suis rendu compte soudain que les lilas grandissaient à vue d'œil et qu'ils devenaient arrogants. Pendant tout un été, j'en ai fait presque une maladie. Voir des gens sur la route, des voitures, et ne pouvoir rien identifier! Il fallait trouver un moyen de me débarrasser des lilas. Ce printemps-là, ils étaient devenus immenses et fleurissaient abondamment. Nous avons discuté du problème autour de la table, un soir. J'ai fini par convaincre Martial de profiter de la nuit pour les tailler un peu.

Vous en avez fait une tête, ce matin-là, quand vous vous êtes rendu compte que, de vos beaux lilas, il ne restait plus que les deux ou trois branches centrales. Les autres gisaient sous la galerie. Vous avez tout de suite compris qui avait fait le carnage. Vous avez crié si fort, à tour de rôle, qu'il eût été difficile que vos voix ne nous parviennent pas. «C'est la mère Émile! C'est sûr que c'est elle! Les lilas lui cachaient la vue! Quelle salope! A devient effrontée, c'est pas possible!» Etc. J'en ai entendu de moins belles! Toutes ces exclamations me faisaient rire. Vous n'aviez aucune preuve contre nous. Martial avait accompli sa besogne à deux heures du matin, au moment où tout le monde dormait. Isidore Ouellet aurait pu avoir l'idée de couper vos lilas, aussi bien que le père Auguste Malenfant. Évidemment, vous saviez depuis longtemps que je n'aimais pas qu'on me cache la vue. Et vos soupçons sont tombés sur la bonne personne. Mais que pouviez-vous faire? En revenant du bureau de poste, le lendemain soir, Léocadie s'est arrêtée pour demander à ta mère qui prenait le frais sur sa véranda pourquoi vous aviez décidé de couper vos lilas. Ta mère n'était pas folle. De temps en temps, elle trouvait les bonnes réparties: «On s'est rendu compte que nos lilas bouchaient la vue de madame Desjardins. Pour lui faire plaisir, on en a coupé quelques branches. Mais vous savez, ils poussent si vite! Je ne serais pas surprise que nous soyons obligés de récidiver l'an prochain. » Léocadie est restée bouche bée. De toute façon, l'important, c'est que je pouvais voir de nouveau sur la route, jusqu'à l'horizon.

Aujourd'hui, ni l'orme, ni les peupliers, ni les lilas ne nous causent d'ennui. Tout cela est disparu. Pour la simple raison que le gouvernement a décidé, un bon jour, que la route entre Saint-Hubert et Saint-Amable n'était pas convenable et qu'il fallait l'élargir. Pendant tout un été, ç'a été la pagaille. Les charrues, les grues, les bulldozers se sont mis au travail. Il a fallu faire disparaître les clôtures en bordure de la route. Les peupliers ont été arrachés en un tour de main. Et les nouveaux occupants de la maison Martel ont découvert qu'ils se trouvaient un peu trop près de la route. Ils ont décidé de déménager la maison non seulement un peu plus au sud, mais à quelques centaines de pieds à l'ouest. Ils n'ont jamais eu l'idée de replanter des lilas. Si tu revenais aujourd'hui dans les parages, tu ne t'y reconnaîtrais plus. On a recouvert votre maison de bardeaux d'amiante. On dirait qu'elle est égarée au milieu du champ où elle se trouve. La remise à voitures a disparu, elle aussi, au moment de la réfection de la route. Et même le gros orme a décidé de mourir un jour, sans que nous lui venions en aide. Nous ne pouvons donc plus entendre crier d'une maison à l'autre. Tout ce qui reste de l'ancien paysage, c'est le pommier malingre qui se trouvait dans le jardin qui séparait nos deux maisons. Placé entre nos deux fenêtres de l'ouest, il ne m'a jamais caché la vue. J'ai toujours été surprise de sa volonté de vivre. Malgré sa chétivité, il fleurissait chaque année et donnait quelques douzaines de pommes à la fin d'août. Les pommes se trouvaient presque toujours dans les branches qui penchaient par-dessus la clôture, du côté de notre entrée. Je me disais que ces pommes m'appartenaient et quand elles étaient mûres, j'en faisais des confitures. Un jour, vous vous rendiez compte

qu'il n'y avait plus de pommes dans le frêle pommier. Tout
de suite, vous accusiez la mère Émile de vous les avoir
volées. Vous n'aviez pas vraiment raison de faire tant de
grabuge pour quelques douzaines de pommes. Vous aviez
un verger de l'autre côté de votre jardin qui commençait
déjà à donner des fruits. Si je ne fais pas erreur, les pommes
de ce verger étaient meilleures que celles de « notre »
pommier.

Eh bien, oui, il est toujours là, ce pommier des anciens
temps ! Et il fleurit encore chaque printemps. On a fait
disparaître le petit potager où il trônait, de sorte qu'il est
maintenant tout seul à s'ennuyer. Il me fait un peu penser
à moi dans un sens, lui qui semble tenir tant à la vie.
Physiquement, nous ne nous ressemblons pas. Je suis
encore grande et forte malgré mes quatre-vingt-huit ans. Et
je suis heureuse qu'il continue de m'accompagner d'année
en année. J'en suis venue à croire qu'aussi longtemps qu'il
sera là, je ne pourrai pas mourir. Je suis toujours ravie, à
chaque printemps, de le voir fleurir.

❏

Je disais que le Chemin-Taché n'existe plus. Ce n'est
pas à cause de l'élargissement de la route et parce que la
maison où tu as grandi est perdue dans un champ. Les lilas
n'ont rien à y voir, ni les peupliers. Non. Il s'agit de bien
autre chose. Ce qui a bouleversé le Chemin-Taché, Claude,
c'est les tracteurs. Tu n'avais peut-être pas pensé à cela.
Pendant plusieurs années, tu es revenu rendre visite à tes
frères et sœurs qui vivent dans les environs. Es-tu repassé
depuis les grands changements ?

Au moment où j'écris ces lignes, les images d'autrefois
me reviennent par douzaines. Je vous revois tous dans la
cour de récréation de l'école en train de vous chamailler

avant que la cloche de l'institutrice ne sonne pour vous faire entrer. Tu n'étais pas très bagarreur, mais tes deux frères aînés l'étaient. Tant et si bien qu'un jour j'ai vu ton père, qui, de la porte qui donnait sur votre véranda, pouvait bien voir ce qui se passait à l'école, arriver en plein milieu d'une bataille, retirer ses deux garnements de la mêlée et leur crier de prendre le chemin de la maison. Je l'entendais encore pendant que le trio rentrait chez vous : « Vous allez apprendre à vous conduire ou bien vous allez rester à la maison ! J'vous envoie pas à l'école pour apprendre à faire des "trimpes". Ç'a-t-y du bon sens de voir des garçons de votre âge se battre comme ça ? » Tes frères avaient repris le chemin de l'école une demi-heure plus tard, le caquet bas. Ce qui était beau à voir, dans ce temps-là, c'était cette fournée d'enfants qui se mettaient en rangs pour rentrer à l'école, habillés d'une façon dont on aurait honte aujourd'hui. Pantalons courts rapiécés. Robes usées à la corde. Pieds nus qui dansaient sur le sol. Car, jusqu'aux premiers froids, vous alliez tous à l'école nu-pieds. Quand la saison obligeait vos parents à vous chausser, vous arriviez presque tous, garçons et filles, avec ces « rubbers » miteux qui allaient vous servir jusqu'au printemps suivant. Vous ne vous rendiez pas compte que tout cela sentait la pauvreté. Josée passait pour une pimbêche parce que, en toute saison, je l'obligeais à mettre des souliers ou des bottes pour aller à l'école. Elle n'a jamais porté de « rubbers ». Je sais que cela la gênait. Elle aurait préféré porter ce que les autres portaient. Nous n'avons jamais été riches, mais nous n'avons jamais attendu les payes de beurre pour nous nourrir et nous vêtir. Je tenais à ce que mes enfants soient bien habillés. Il en est résulté que Josée n'a jamais vraiment réussi à se faire des amies à l'école. Tous ces enfants avaient l'air de petits voyous ! Personne, heureusement, ne savait ce que c'était que des voyous. Quelle vie tout cela mettait autour de la maison !

Aujourd'hui, il n'y a même plus d'école au Chemin-Taché. La bâtisse est toujours là, mais elle est fermée. Non pas parce qu'il n'y a plus d'enfants au Chemin-Taché, mais parce que depuis une vingtaine d'années tout se concentre en un seul lieu. Les autobus scolaires transportent les enfants au village le matin, les ramènent le soir. L'institutrice se prépare en fonction d'élèves qui ânonnent tous la même chose parce qu'ils sont tous au même niveau. C'est le progrès. Il est sûr que ce genre d'instruction et d'éducation est à l'avantage des élèves. Ils apprennent certainement mieux. Ils fréquentent tous l'école beaucoup plus longtemps qu'autrefois. Cela me ramène toujours aux tracteurs. Mais quelle tristesse de voir cette maison d'école fermée! La maison à l'ouest de l'école, qui abritait une famille de journaliers, et l'autre plus à l'est sont disparues. On les a déménagées au village. Et l'école, l'ancienne école s'ennuie tellement toute seule! La plupart des gens ne s'en rendent pas compte. Il n'y a presque plus personne qui se souvient que ces maisons nous permettaient d'avoir ici une sorte de petit village qui avait autant d'allure que l'autre qu'on a fait naître après la réorganisation de la paroisse. Tu n'as pas connu le Chemin-Taché dans les années où il était protestant. Moi non plus. Quand je suis arrivée ici, il y avait encore une famille de Tremblay et une famille de Sirois qui étaient protestantes. La « mitaine » n'existait évidemment plus. Ces gens ne pouvaient pratiquer leur religion. Les Tremblay sont partis. Les Sirois se sont convertis au catholicisme. J'ignore si les choses se sont passées, lors de ce grand dérangement, comme tu les as racontées dans *La colère du clan*. Cela n'a pas d'importance. Ce qui est sûr, c'est que, pour certaines familles, ce revirement a été un drame qu'ils ne pourront jamais oublier. Personnellement, je n'aurais eu aucune difficulté à me faire protestante. Non seulement je n'aurais pas eu de difficulté, mais cette forme de christianisme aurait bien mieux convenu à ma façon de voir le monde. À certains moments, quand je songe à cette période de notre histoire que je n'ai pas connue, je ris toute seule. Quelle belle gifle à l'évêque tout-puissant, que ce Chemin-Taché qui décide soudain de devenir protestant parce qu'on lui enlève son droit d'aînesse! C'est merveilleux de voir que les gens ne se laissent pas toujours manipuler par ceux qui détiennent tous les pouvoirs. Est-ce que tu sais que la première messe à Saint-Amable a été dite dans ce qui était votre fournil quand tu es arrivé ici? C'est là-dedans que vous éleviez vos cochons. On a ensuite bâti une chapelle au coin de la route qui va au 4e. Le curé l'a détruite, m'a-t-on dit, quand l'évêque l'a obligé à déménager ses pénates au milieu de la paroisse, là où se trouve le village actuel de Saint-Amable. Mais je te raconte des choses que tu connais aussi bien que moi.

Les tracteurs!

Qui aurait pu s'imaginer que ces engins allaient en si peu d'années changer la face du Chemin-Taché? Moi-même, j'ai mis des années à me rendre compte des changements et des bouleversements qu'ils causaient à ce pauvre petit pays. Quand on travaillait la terre avec des chevaux, chaque cultivateur avait une terre de quatre arpents de largeur sur un mille de longueur. Il y avait quelques exceptions à la règle. Le père Auguste Malenfant n'avait que deux arpents, et ses enfants seraient probablement morts de faim s'il n'avait pas eu le supplément que lui rapportait le bureau de poste. Ces terres ne permettaient à personne de devenir riche. En les grattant comme il faut, elles permettaient à chaque habitant de nourrir plus ou moins bien ses dix ou douze enfants. Tout d'un coup, les tracteurs sont arrivés. C'est le père Saint-Denis qui en a acheté un le premier, si je me souviens bien. Ces engins n'étaient pas à la portée de toutes les bourses mais, peu à peu, avec l'aide des garçons qui allaient dans les chantiers l'hiver, ils sont devenus de plus en plus nombreux. Et il est arrivé ceci : ceux qui n'avaient vraiment pas les moyens de s'en acheter un ont été obligés, les uns après les autres, de vendre leur terre au voisin. C'est logique. Plus un tracteur fait de travail, moins il coûte cher. Comment justifier l'achat d'un tracteur avec une terre de la grandeur de celles d'autrefois ? Commences-tu à comprendre, Claude, comment il se fait que la population du Chemin-Taché a diminué de moitié depuis vingt ou vingt-cinq ans ? Les descendants de Gédéon Roy demeurent toujours à côté de l'école fermée. Mais le frère de Gédéon qui habitait plus à l'est, en face des Saint-Denis, a été obligé de lui vendre sa terre à un moment donné. Il ne reste plus qu'un bout de grange ouverte à l'endroit où se trouvaient autrefois des bâtiments qui avaient l'air prospères. Les descendants des Martineau sont toujours là. Mais le Martineau qui demeurait en face de ses parents, du côté sud, a vendu sa terre à la branche du nord, plus à l'aise. Là, il ne reste plus de grange mais une maison aux fenêtres bouchées qui s'entête à vouloir témoigner du passé. Les Rioux, par exemple, qui, à un moment donné, semblaient très à l'aise, puisqu'ils avaient bâti maison, grange-étable, poulailler et autres dépendances, sont si bien disparus de notre carte que personne ne se souvient d'eux. Tout, à cet endroit, a été rasé. Il ne reste sur les lieux que deux rangées d'arbres que la mère Agnès avait fait planter de chaque côté de sa maison pour lui donner plus d'allure. Le fils de Marcellin Ouellet a acheté la terre de Jérôme Gosselin. La maison des Gosselin a été déménagée au village. La grange est toujours là parce que les Ouellet s'en servent encore pour mettre une partie de leur récolte à l'abri. Et ainsi de suite. De la bonne trentaine de familles qui vivaient misérablement au Chemin-Taché quand tu y as grandi, il n'en reste plus qu'une quinzaine. Je ne veux pas les compter, il n'y en aurait peut-être même pas quinze.

Les enfants vont à l'école du village. Les plus grands se rendent à l'école secondaire de Trois-Pistoles. L'ère des chantiers semble bien révolue par ici. Les gens s'instruisent. C'est le progrès et j'en suis bien aise. Mais ce progrès a changé le visage du Chemin-Taché à un point tel que je me demande s'il ne faudrait pas trouver un autre nom pour désigner ce qui était autrefois une route rurale peuplée de gens dont le mode de vie ferait l'envie de mes jeunes contemporains. Et puis non, ce n'est pas vrai. Ils ne voudraient pas vivre comme on vivait autrefois. Aller dire aux enfants d'aujourd'hui que ceux d'autrefois allaient à l'école chaussés de « rubbers », ce serait les faire rire aux dépens de leurs ancêtres. Dans un sens, ils ne pourraient même pas trouver la chose drôle parce qu'ils ne pourraient pas imaginer ce qu'étaient ces chaussures qu'on appelait des « rubbers ».

La population du Chemin-Taché a diminué mais, en même temps, la télévision a fait son entrée partout. Pas seulement la télévision, mais avant elle, bien avant elle, presque en même temps que les tracteurs : les automobiles. Au moment où nous avons acheté une voiture, la première au Chemin-Taché, une automobile, c'était du luxe. Aujourd'hui, c'est une nécessité. Ces gens-là n'ont pas tous les moyens de se payer de belles autos. Ils se font mécaniciens pour faire durer leur voiture d'occasion. On vit aujourd'hui au Chemin-Taché un peu comme on vit à la ville. On regarde *Quelle famille* à Radio-Canada et on trouve ça merveilleux. Moi aussi, je regarde *Quelle famille*, mais je trouve que c'est une histoire à faire pleurer. Je ne sais pourquoi l'auteur ou les auteurs de ce téléroman tiennent absolument à nous prouver que, dans une famille normale, on trouve toujours une façon de résoudre les problèmes, qu'on réussit toujours à réconcilier les gens qui s'en veulent et quelquefois en l'espace de quelques heures. C'est un peu ce qui se passe dans les autres téléromans que je regarde de temps en temps. Des histoires qui n'ont rien à voir avec la réalité. Dans un sens, les personnages de nos téléromans sont proches parents de Donalda et de Maria Chapdelaine. On a privé ces deux femmes de tout ce que la vie aurait pu et dû normalement leur donner. On comble nos personnages des téléromans mais, dans un cas comme dans l'autre, on passe toujours à côté de la vie. Est-ce la seule façon, l'unique façon d'écrire pour que les gens lisent, ou regardent quand il s'agit de télé? On vous donne mille recettes pour vivre en harmonie avec ceux qui vous entourent; dans les livres, on brise toutes les harmonies, on enlève aux personnages tout pouvoir de réussir leur vie. C'est un sujet sur lequel je ne m'étendrai pas davantage parce que je sens que mes connaissances, en ce domaine, sont restreintes.

Le croirais-tu? Pendant que le Chemin-Taché se faisait avaler par les tracteurs, le village de Saint-Amable est presque devenu une petite ville. Autrefois, il y avait une seule route bordée de maisons qui faisaient le lien entre la grande ligne-nord et la grande ligne-sud. Eh bien, ce n'est plus cela aujourd'hui! On a ouvert des rues qui s'emparent peu à peu des terres à l'ouest et même à l'est, en direction de la rivière. On a construit de nouvelles écoles. Le petit hôtel d'autrefois, qui n'avait d'hôtel que le nom, a été remplacé par une sorte de grand édifice qui a non seulement des chambres, mais aussi un bar, un restaurant et une taverne. Qu'est-ce qu'on a mis au sous-sol? Ce qu'on appelle aujourd'hui une discothèque où les jeunes s'entassent pour aller danser. Quand je pense que les curés d'autrefois nous défendaient la danse, toutes les danses! Comment se fait-il qu'ils n'osent plus rien dire à ce sujet aujourd'hui ? Qu'est-ce qu'on trouve encore dans cet immense village ? Un hospice pour les vieux. Je rends grâce à Dieu d'avoir toujours eu assez de force dans les jambes pour que personne de ma famille ne pense à m'y faire entrer. Et puis, des épiceries comme on en voit en ville, une pharmacie, un petit hôpital, une mini-école de métiers et que sais-je encore. Des magasins qui n'ont plus rien à voir avec le magasin général de ton temps. Non, Claude, tu ne t'y reconnaîtrais plus. On a même installé près de la rivière, du côté sud, une sorte de manufacture de je-ne-sais-trop-quoi. Et je n'ai rien dit des restaurants et des tavernes, car il paraît que les gens de par ici sont de grands buveurs de bière.

Il faut bien que j'accepte tous ces changements. Il faut bien, comme dirait le père Auguste, que je m'y résigne. Mais le père Auguste et moi, nous n'avons pas la même façon de voir la vie. Parce que j'aime la vie qui bouge, la vie qui n'arrête jamais de se transformer, j'accepte tous ces changements. Je les aurais bien mieux acceptés s'ils n'avaient pas fait tant de mal au Chemin-Taché. Je suis un peu gênée de te le dire, mais j'ai parfois le désir de me déguiser pour aller voir ce qui se passe à la discothèque. Réfléchis un peu et tu comprendras pourquoi je voudrais tellement m'infiltrer dans ce lieu sacré et vibrer au son de leurs musiques. J'ai toujours aimé la danse. J'ai toujours adoré la danse. Même si la musique d'aujourd'hui porte des noms auxquels je ne comprends rien, je sais très bien que je vivrais des joies incroyables si je pouvais seulement retrouver mes vingt ans et faire mon entrée dans ce sanctuaire. Ah ! mon Dieu ! Si seulement un jeune homme m'invitait à entrer dans cette boîte à musique, je crois que j'en mourrais sur les lieux, de bonheur et de tendresse. Mais qu'est-ce qu'on dirait d'y voir entrer une femme de mon âge ? Je suis peut-être irrévérencieuse, mais je crois que la discothèque d'aujourd'hui devrait s'emparer des églises. Quel plus bel endroit que le sanctuaire pour installer la piste de danse! C'est de là qu'on devrait inviter la population à venir chanter le créateur au son des musiques les plus extravagantes. Quelle belle louange à la vie ce pourrait être! Au lieu de cela, le sanctuaire inventé par des détraqués mentaux, avec sa lampe qui vacille, devient un endroit où l'on célèbre la mort. On n'a qu'à étudier un peu les différentes parties de la messe pour s'en rendre compte. Pourquoi, mais pourquoi les gens tiennent-ils tant à célébrer la mort? Célébrant la mort d'un autre, n'est-ce pas leur propre mort qu'ils célèbrent? Moi, je veux célébrer ma vie, je veux célébrer la vie. Même quand je me verrai mourir, je suis sûre que je n'aurai aucune envie de célébrer ma fin du monde. La vie ne m'a pas donné toutes les satisfactions que je souhaitais. Ce n'est pas une raison pour que je boive le sang d'un homme qui a fondé une religion, il y a deux mille ans. Je ne veux boire le sang de personne. Mais je souhaiterais, encore aujourd'hui, que mon sang bouillonne au son des musiques les plus étranges de l'univers. Et vive la musique et vive la danse!

Et maintenant, dis-moi, comment le Chemin-Taché peut-il continuer d'être le Chemin-Taché après avoir perdu son école, son bureau de poste, son forgeron, sa beurrerie et la moitié de ses chefs de famille? C'est un miracle de constater que la boutique de menuiserie des Desjardins continue de vivre comme autrefois. Cela me donne l'espoir que certaines choses ne changeront pas, qu'on ne réussira peut-être pas à tout détruire, à tout transformer.

Non, ne crois pas que je m'imagine que les choses n'étaient belles et bonnes qu'autrefois. Au contraire, la vie est bien plus intéressante aujourd'hui, elle est bien meilleure à vivre, et la jeunesse de maintenant est autrement dégourdie que celle avec laquelle tu as grandi. Je n'en veux ni aux tracteurs, ni aux automobiles, ni à la télévision. Mais je suis bien obligée de constater que c'est tout cela ensemble qui est en train de faire basculer le Chemin-Taché de l'autre côté de l'horizon.

Plus rien ne gêne ma vue à l'ouest. Ni peuplier, ni orme, ni lilas. Seulement, il n'y a plus rien à voir à l'ouest, sinon des automobiles qui passent trop vite et couvrent la route de poussière à tout moment de la journée. En élargissant la route il y a une dizaine d'années, on nous avait promis de l'asphalte pour l'année suivante. Nous attendons encore. À cette époque-là, les gens étaient tout heureux de parler d'asphalte. On aurait dit que, pour eux, une route asphaltée, c'était l'entrée dans le progrès. Je préfère encore me promener sur une route de terre et sentir les graviers crisser sous mes semelles. Je suis prête à parier que de l'asphalte, ils en auront un jour. Ce ne seront pas les enfants du Chemin-Taché qui l'obtiendront. Qu'est-ce que c'est que cette poignée d'électeurs pour un député ? Ce seront les gens du village de Saint-Hubert et ceux du village de Saint-Amable qui, quand ils en auront assez d'user leurs pneus sur notre route de terre, feront les pressions qu'il faut auprès des candidats lors des prochaines élections. Comme tu vois, plus les années passent, moins nous comptons. Le Chemin-Taché, bientôt, ce sera un fil reliant Saint-Hubert et Saint-Amable, une toute petite idée communicante entre deux gros bourgs qui ne prendront même pas la peine de se demander s'il y a encore des gens qui gravitent à côté du fil.

Je te parle d'un fil pour une raison très simple. Je n'aurais pu trouver cette image toute seule. Elle m'est venue il y a quelques semaines, en rêve. Je n'ai jamais été équilibriste. Avec ma corpulence, ça ne s'imagine pas. Dans mon rêve, j'étais une grande fille élancée, habillée comme les stars qu'on voit dans les annonces de revues, et je me

promenais avec une aise déconcertante sur un fil d'acier
qui reliait Saint-Amable à Saint-Hubert. La chevelure au
vent, je glissais sur ce fil à une vitesse vertigineuse. Et quel
succès auprès d'un public de choix! En effet, toutes les
portes s'étaient ouvertes et les gens massés sur leur galerie
ou leur véranda applaudissaient. J'étais devenue un grand
personnage.

Je n'essaierai pas de t'expliquer ce rêve. Comment
l'idée de ce fil reliant mon Chemin-Taché aux deux bourgs
qui le terminent m'est-elle venue? Je chercherais des
années sans trouver la réponse. J'avoue cependant que je
me sentirais bien dans la peau d'une vedette. Qui sait ce
que j'aurais pu devenir si ma mère m'avait obligée à
préparer ce diplôme supérieur qui m'aurait ouvert la porte
d'écoles plus avancées? Qui sait?

C'est quand même un beau rêve que je viens de faire.
Quand je me suis réveillée, je me sentais heureuse comme
une enfant de quinze ans qui vient de recevoir son premier
baiser d'amour, je me sentais jeune, je me sentais forte,
prête à recommencer ma vie. Et quelles couleurs à l'horizon! Te rappelles-tu que le Chemin-Taché était beau, autrefois, avec ses champs de foin mûr au mois de juin, avec ses
champs d'avoine en août? À certains moments de l'année,
on avait vraiment l'impression que c'était un pays pros-
père. Un étranger, passant par là, aux heures bénies des
dieux, n'aurait jamais eu l'idée de la pauvreté de toutes ces
familles nombreuses qui travaillaient du matin au soir
devant un horizon barré. Eh bien, dans mon rêve, c'était
encore plus beau que pendant ces heures bénies de l'été!
C'était un horizon qui s'ouvrait comme par enchantement,
une harmonie de couleurs qui m'obligeait à croire que
j'habitais le pays le plus important du monde.

Au matin, quand je me suis levée, j'ai dû mettre mon
rêve de côté, j'ai été obligée de me dire que j'étais une

vieille femme de quatre-vingt-huit ans et que ce que je venais de vivre pendant mon sommeil n'avait rien à voir avec la réalité. Mais pourquoi faut-il toujours sortir de la réalité pour mettre de la joie dans sa vie? Je fais un autre rêve de temps en temps, un rêve éveillé, cette fois, et je me dis que tu es encore là, Claude, avec tous tes frères et sœurs, avec ton père qui donne ses ordres à droite et à gauche, ta mère qui passe son temps à dire: «Mais voyons, cessez donc de vous chicaner!» Tu as dix ans, douze ans, je te vois passer à travers champs pour te rendre chez Alphonse Ouellet, car tu sais que tu vas retrouver là les compagnons de jeu qu'il te faut. Curieux à dire. Quand vous étiez tous là, je ne tenais pas du tout à ce que vous y soyez. Je vous trouvais plutôt tannants. Comment se fait-il qu'aujourd'hui je voudrais vous remettre dans mon paysage pour pouvoir vous étreindre? Est-ce le désir que j'ai de retrouver ma jeunesse? Le regret de n'avoir pas assez aimé les gens qui m'ont entourée?

Ce n'est pas tellement ma jeunesse que je voudrais retrouver. Je voudrais revenir à cette époque de ma vie où mes enfants commençaient à vivre d'une vie autonome, ce qui m'émerveillait. Pour tout dire, je voudrais revenir aux années qui ont précédé la mort de Marie-Ève, car c'est pour parler d'elle que j'ai commencé cette lettre. Et c'est pour parler d'elle que je continuerai.

II

Les images brûlantes

Mais, mon cher Claude, comment réussirai-je à te parler de Marie-Ève avant d'avoir éliminé de mon corps, de mon âme, ce flot d'images brûlantes qui me viennent à l'esprit pendant que moi, fantôme vivant, je me promène, en empruntant le chemin de terre qui traverse votre ancienne terre, de la maison au Bois de la Côte où j'ai établi mes quartiers pour converser avec mes morts? Comment? Comment?

Je sais que Marie-Ève est dans toutes mes pensées. Il y a aussi les autres qui se débattent dans mes paysages intérieurs et qui viennent me dire que, pour bien situer l'histoire de Marie-Ève, il faudrait d'abord que je refasse pièce par pièce, morceau par morceau, tout le Chemin-Taché de cette époque, le Chemin-Taché de ton époque, un Chemin-Taché que tu as connu mais qui ne subsiste en toi, j'en suis sûre, que par petits fragments parce que tu étais alors trop jeune pour vraiment comprendre ce qui se passait autour de toi.

Si j'ai envie de te rafraîchir la mémoire, c'est aussi parce que je voudrais, enfin, avant de mourir à mon tour, me libérer de ces visions obsédantes qui me suivent quelquefois jusque dans mon sommeil.

Dis-moi, Claude, es-tu sûr d'avoir bien vu le Chemin-Taché quand tu allais, après tes heures d'école, distribuer tes feuillets de l'apostolat de la prière que l'institutrice recevait de je ne sais trop quelle communauté de pères, chaque mois ? Si j'étais morte dans la soixantaine, comme la plupart des gens de par ici, je serais partie sans même avoir l'idée de ce que fut le Chemin-Taché de ton temps, du mien, du temps de ton père et des autres. Ces années de vieillesse m'ont permis de faire un retour en arrière et de revivre des scènes que je croyais avoir complètement oubliées.

Dans le fond, c'est peut-être Marie-Ève qui m'a permis de tout retrouver. Il faut bien, quand je pense à elle, que je pense en même temps à tous ces pauvres gens qui nous entouraient et qui, démunis, n'ont jamais pensé à se révolter. Se révolter comment ? Qu'auraient-ils pu faire ? C'est en pensant à eux que j'en suis venue à croire que mon sort n'était pas si mauvais, puisque le métier de mon mari nous a toujours permis de bien manger, de bien nous habiller et d'être à l'abri dans une bonne maison.

Toi qui fais partie d'une grande famille, tu n'as pas souffert de la faim. Te souviens-tu que ton père devait faire marquer au magasin général pendant l'hiver pour pouvoir vous nourrir ? Ce n'est que l'été venu qu'il réussissait à payer ses dettes avec ses payes de beurre et ses travaux de voirie. Il y en avait de plus démunis que vous. Mais peut-être ne t'es-tu pas rendu compte toi-même jusqu'à quel point ton père était pauvre et peut-être ne sais-tu pas tous les sacrifices qu'il a faits pour nourrir tant de bouches ?

Deux hivers de suite, ton père et tes frères sont allés faire chantier sur une concession de la Seigneurie, pour pouvoir plus tard bâtir grange, hangar, fournil ; vendre assez de bois pour se payer les outils et les clous dont ils auraient besoin pour leurs travaux. Je ne sais pas ce qui s'est passé dans ces chantiers. La vie a dû être dure. Pendant que ton père était parti là-bas avec tes frères, c'est un certain Claude qui devait, avant son école, le matin, après son école, le soir, s'occuper des animaux à l'étable, les nettoyer, les nourrir, voir à ce que tout continue de marcher comme à l'ordinaire. Sais-tu quel âge tu avais à ce moment-là? Dix ou onze ans tout au plus. J'avoue que j'étais scandalisée que ton père laisse ainsi la bonne marche de la ferme à un enfant qui s'intéressait surtout à ses livres d'école. J'ai vu la réalité de près, un soir, alors que ne sachant plus que faire, devant cette vache qui n'arrivait pas à mettre bas son veau, ta mère a envoyé chercher Émile pour te venir en aide. Je l'ai suivi. Émile a compris. Le veau était mal placé. Vous vous y êtes mis à deux, Émile te montrant la voie. À certains moments, j'ai dû détourner les yeux. La vache râlait doucement pendant qu'à tour de rôle vous fouilliez dans son corps pour permettre à la nature de faire son œuvre. Vous vous êtes relevés un peu plus tard, les bras gluants. J'étais presque hypnotisée. Quand je suis revenue à moi, le veau faisait des efforts pour se mettre debout. La vache respirait mieux. Et il y avait un enfant ravi qui contemplait le veau sans se rendre compte que son bras droit était tout maculé de sang. Ta mère qui avait assisté à l'opération semblait trouver tout naturel qu'à ton âge tu joues ainsi au vétérinaire. Elle est revenue avec nous pendant que tu restais à l'étable pour faire ton travail quotidien.

Est-ce avant, est-ce après ces années où ton père a fait chantier? Je crois que c'est après. L'eau manquait à l'étable chez vous. Dans les plus grands froids, les plus grandes tempêtes, tu attelais un cheval sur la grande traîne, tu t'amenais devant la porte de la maison, côté sud, et tu te promenais de la maison à la traîne avec de grands seaux pour remplir les tonnes déposées sur la traîne. Tu ramenais ton attelage devant l'étable et tu recommençais le même jeu, des tonnes à l'étable, avec tes seaux. Ainsi, les animaux continueraient à hiverner en toute quiétude. Tu as fait cela pendant des semaines, peut-être des mois. Je comprends que tu aies pu être malade par la suite, car, si j'ai bonne mémoire, c'est à ce moment-là que tes grandes crises ont commencé, en septembre ou en octobre. Cela est revenu trois années de suite.

J'ai souvent repensé à tout cela et j'ai fini par me convaincre que ces crises n'avaient rien à voir avec le travail d'homme qu'on te forçait à faire alors que tu n'étais qu'un enfant. Mais peut-être te croyais-tu un homme à douze ans ? Tu me le dirais que je le croirais. Mais mon Dieu ! Si tu t'étais vu ! En *breeches*, avec ta « froque » d'étoffe ! Non, tu n'étais pas un homme. Ton père t'a dit : « Charrie l'eau des animaux. » Et tu as charroyé l'eau des animaux. Y avait-il autre chose à faire ? Si tu savais combien de fois je t'ai vu déverser tes chaudières dans la tonne, en face de la maison, par la fenêtre sud-ouest, tu serais surpris. Dans les tempêtes de neige, je ne voyais que des bras qui se mouvaient dans la clarté blafarde de la lampe de la maison et de ton fanal. Le lendemain matin, je te voyais traverser la route pour te rendre à l'école en face et je me demandais par quel miracle tu n'étais pas mort pendant la nuit. Non, tu n'étais pas mort ! Tu montais l'escalier de l'école en deux sauts, le sac au bout du bras. Il y en avait des douzaines d'autres à faire les mêmes gestes, mais les autres ne vivaient pas à côté de moi et je ne pouvais donc pas les imaginer à côté de la tonne d'eau. Je me demandais quelquefois si tu ne deviendrais pas semblable aux animaux que tu soignais pendant les absences forcées de ton père et de tes frères. Ces travaux auraient pu te faire oublier tes livres. Cela ne t'est jamais venu à l'esprit. Comme il ne nous était jamais venu à l'esprit qu'un garçon d'habitant puisse vouloir s'instruire, vouloir aller au Séminaire. Ton père nous en a parlé quelques fois. Il n'y comprenait rien, lui non plus. Il se demandait ce qu'il fallait penser de ton amour des livres. Un jour, le nouveau curé, qui t'avait remarqué lors de sa première visite à l'école, lui a conseillé de te laisser étudier. Il voulait que tu fasses ton cours classique. Ton père s'est tout de suite imaginé que son Claude ferait un curé, et d'avance il annonçait à toute la paroisse que lui seul avait pu, à Saint-Amable, engendrer un prêtre pour l'éternité. Moi, je me faisais déjà du souci pour toi. Ton père n'aimait pas beaucoup les curés, mais il n'aurait pas manqué la messe du dimanche avec les meilleures excuses. Quant à moi, tu le sais, je ne déteste pas les curés, mais je n'ai jamais très bien vu leur utilité dans la société. Quand je te voyais revenir, à l'été, pendant les vacances, je craignais toujours que tu ne nous annonces ton entrée chez les pères ou dans un grand séminaire quelconque. Tu m'as épargné ce malheur et je t'en suis reconnaissante. Après t'avoir vu devant ta tonne d'eau, je ne voulais pas te voir pris pour la vie sous un attelage de forçat. Peut-être crois-tu que le veau et la vache, les tonnes d'eau, c'est des histoires que j'invente. Pourtant, c'est à cette époque que j'ai commencé à t'aimer. Je ne te l'ai jamais dit, mais je l'ai dit à tes parents. Chaque fois que je leur laissais entendre qu'ils t'en demandaient trop, ils étaient toujours surpris. Ils ne pouvaient comprendre par quel raisonnement j'aboutissais à cette conclusion. Pour eux, tu ne faisais qu'accomplir un travail routinier que les circonstances t'obligeaient à faire. J'espère que j'ai réussi à réveiller un peu tes souvenirs. Je vais aller frapper à une autre porte pour savoir si je peux en réveiller d'autres.

❏

J'avais toujours eu envie d'entrer dans cette cambuse pour voir comment vivaient ces deux vieux qui étaient déjà vieux quand je suis arrivée ici. Il ne s'agissait pas d'une cambuse à proprement parler. C'était, si je ne me trompe, une cuisine d'été qu'on avait rafistolée un peu pour que le froid n'y pénètre pas trop pendant l'hiver. Amédée Dionne, le fils d'Ozias, l'avait pourvue d'un poêle pour que ses parents puissent vivre chez eux. Te revoici en paysage familier, puisque tu es allé à l'école avec les enfants d'Amédée. Le vieux Ozias et sa femme vivaient seuls dans ce bas-côté tout simplement parce qu'ils étaient trop encombrants dans la maison. Ils étaient aussi un peu fous, raison de plus pour les mettre à l'écart.

Il n'y avait pas de pension pour les vieux, à ce moment-là. Il fallait bien que la famille en prenne soin d'une façon ou d'une autre. Quand on a treize enfants, comment peut-on les élever en compagnie d'une génération qui tombe en enfance? L'idée d'Amédée, en un sens, était bonne. Les vieux vivraient d'un côté, sa famille, de l'autre.

C'est un jour de juin ou juillet, je crois, que j'ai pénétré dans ce bas-côté. Je m'étais creusé les méninges pendant des semaines afin de trouver un prétexte pour rendre visite à Ozias et sa femme. Finalement, un jour que j'avais fait une bonne douzaine de tartes aux fraises, j'ai décidé de leur en offrir quelques-unes pour satisfaire ma curiosité. Je suis partie sur la route avec mon cadeau à la main. Ceux qui m'ont vue passer devaient bien se demander ce qui me prenait, cet avant-midi-là. Je faisais rarement des promenades pareilles, sauf avec Émile quand nous allions veiller quelque part.

J'ai frappé plusieurs fois avant qu'on ne vienne m'ouvrir. À la fin, c'est la vieille Adéline qui a ouvert la porte. Elle était toute échevelée, le visage vert comme un poireau. Elle portait une robe de coton tellement sale que j'ai vite oublié les belles phrases que j'avais préparées. Elle avait l'air de se demander qui j'étais et de quel droit je me présentais chez elle.

J'ai fait quelques pas dans la pièce. J'ai eu une sorte de haut-le-cœur. L'air était irrespirable. C'étaient des senteurs de rance, de pourri, de je-ne-sais-plus-quoi. C'était insupportable. Le vieil Ozias était étendu sur un des deux grabats qu'il y avait dans la pièce. Il s'est relevé un peu à mon arrivée et m'a fait une sorte de signe. Il y avait une table de bois racornie à côté de la fenêtre. J'ai posé mon offrande sur la table et, avec un sourire, je leur ai dit:

— Je vous apporte des tartes aux fraises.

Ç'a d'abord été le silence. La vieille Adéline s'est rapprochée de la table. Le vieux a fini par se lever. Il a allumé sa pipe. La femme regardait son homme et avait l'air de dire: « C'est à toi de parler. » Du coin de l'œil, je regardais la pièce. Je n'avais jamais rien vu d'aussi sale de toute ma vie. De vieilles nippes traînaient partout. Un restant de gruau dans un plat, sur la table. Ozias a fini par dire:

— Des tartes aux fraises! Vous voulez nous faire la charité?

— Non, je veux vous faire un cadeau. J'en ai fait une quinzaine. Il y en avait trop pour nous. J'ai pensé que vous aimiez peut-être les tartes aux fraises. On est presque des voisins.

— Des tartes aux fraises. En veux-tu, toi, Adéline, des tartes aux fraises?

— Si c'est bon pour les coliques, j'dis pas.

— Ma vieille, j'vas te l'dire, tu chieras pas mieux avec des tartes aux fraises que pas d'tartes aux fraises.

— Si tu penses!

Vraiment, je ne savais plus quoi faire. Ils avaient l'air si misérables dans leurs haillons et cette puanteur qui

imprégnait tout que je ne pouvais me décider à les laisser.
Et j'avais presque honte de leur faire, comme Ozias disait,
la charité. Je repris, pour me donner une contenance :

— C'est bon et c'est nourrissant.

Ozias riposta, piqué au vif :

— Ça veut-y dire que vous pensez que nous autres, on
peut pas s'nourrir comme y faut ?

— Mais voyons ! Je voulais vous faire plaisir.

— En nous insultant.

— J'voulais pas vous insulter, voyons !

Pendant ce temps-là, Adéline traînait ses savates sur le
plancher. Elle tournait en rond. Elle a regardé son mari et
lui a dit :

— Faut que j'aille vider le pot.

— Oui, c'est le temps, ça commence à sentir mauvais.

— T'as pas d'affaire à parler, tu pues à cœur de jour.

— Ça se peut que je pue, mais ma marde pue moins
que la tienne !

— T'as menti. Tu pues ben plus. T'es un gros cochon et
tu l'sais même pas.

— Je le sais que j'sus un cochon. Toi, t'es une truie,
même pas capable de te laver le cul !

— T'as beau parler ! Ça fait trois mois que tu t'es pas
lavé !

— Pour qui j'me laverais ? Pour une truie comme toé ?
Farme ta gueule, pis va vider ton pot !

— C'est pas toé, Ozias Dionne, qui vas me faire farmer
la gueule !

Au même moment, Ozias lui donnait un coup de pied
au derrière. La vieille n'a même pas bronché. Elle s'est
penchée, a ramassé son pot, est repassée devant moi en
tenant sa main droite bien fermée sur l'anse et est disparue
dehors. Alors Ozias a eu un petit rire narquois et il m'a dit :

— On les garde, vos tartes aux fraises !

J'ai fait un grand sourire et je suis sortie au moment où Adéline rentrait avec son pot vide. J'ai passé ma main droite dans ma figure pour éviter de trop sentir, mais Adéline avait compris.

— Ça sent pas si mauvais que ça! dit-elle. C'est rien que de la marde!

J'ai descendu les quelques marches d'escalier en vitesse. J'avais envie de me mettre à courir pour revenir chez moi.

Un moment, j'ai cru que j'allais défaillir. Comment pouvait-on rester à cœur de jour dans cet antre, dans cette puanteur? J'ai raconté ma visite à Émile et je lui ai demandé ce qu'il fallait faire. Il m'a dit: « Y a rien à faire!» C'était pourtant vrai, il n'y avait rien à faire. Amédée, le fils, faisait ce qu'il pouvait pour ses vieux parents. Il leur donnait un peu de lard, des pommes de terre, des fèves au lard, des miches de pain et du gruau. Les vieux n'avaient rien d'autre à faire que de se regarder, s'engueuler, se détester, se frapper et se nourrir des restes de la famille. Comment peut-on imaginer pareille vie? L'hiver, ils étaient des mois sans sortir. Le froid les aurait tués sur le coup. L'été, ils ne sortaient que pour dire des grossièretés aux gens.

Ils ont vécu ainsi une bonne quinzaine d'années. Quand tu es parti pour le collège, ils étaient encore là. Ils devaient avoir près de quatre-vingts ans. Mais ils en avaient quatre-vingts depuis vingt ans. Ils sont morts tous les deux à trois jours d'intervalle. Pendant des mois, on n'a pu savoir si c'était de mort naturelle ou autrement. Puis la nouvelle s'est répandue qu'Adeline, qui avait découvert des bouteilles d'alcool pur chez son fils, en avait ingurgité assez en une seule nuit pour ne plus pouvoir se lever le lendemain matin. Ozias, n'ayant plus d'esclave à la portée de la main ou du pied, avait mis du poison à rats dans son gruau. C'est par les enfants d'Amédée, à l'école, qu'on a appris la vérité. On avait retrouvé le vieux, la tête à côté du pot de chambre qu'il avait renversé en tombant de sa chaise.

Nouvelles bouleversantes mais, en même temps, quelle délivrance! Enfin, me disais-je, ils ne souffriront plus. Car, qu'est-ce qu'ils pouvaient bien attendre de la vie, à leur âge et dans leur situation? Pourquoi, dis-le-moi, auraient-ils voulu continuer à vivre? C'est vingt ans plus tôt qu'ils auraient dû se donner la mort. Ils se seraient épargné tellement de souffrances! Dans des circonstances pareilles, jamais je n'aurais pu tenir pendant tant d'années. Tu me diras qu'à mon âge je devrais bien faire comme Ozias et Adéline. J'y ai pensé quelques fois, mais je préfère encore attendre. D'abord, je suis heureuse dans ma descendance. Mon petit-fils et sa femme qui habitent en bas — moi, je suis au troisième — n'ont jamais eu à se plaindre de moi. Je les aime et ils me le rendent. Je prends, depuis quelques années, mes repas avec eux. Je m'amuse avec leurs enfants qui s'amusent follement avec l'arrière-grand-mère. Et surtout, je suis rarement malade. Je ne me sens donc à la charge de personne. Enfin, même si mon mari ne m'a pas laissé beaucoup d'argent en mourant, je n'ai jamais été obligée de demander la charité à personne. Depuis de nombreuses années, ma pension de vieillesse me permet de faire plaisir aux gens qui m'entourent. La vie m'apporte donc encore des joies. Le bonheur, évidemment, c'est l'amour. J'ai passé à côté, pendant ma jeunesse, mais voilà que tout à coup, dans ma vieillesse, je cueille tous les jours des bribes de bonheur qui me permettent de continuer. Il faut dire aussi que je ne me lasserai jamais de voir le printemps transformer la nature autour de moi. On a détruit beaucoup de choses au Chemin-Taché, depuis vingt ans, mais heureusement, tous ces champs alignés sont encore là et le Bois de la Côte n'a pas changé. Quand je m'y rends pour converser avec mes morts, je sens quelquefois les yeux des voisins me suivre et je les entends dire : « Tiens, le fantôme, avec sa grand-jupe, qui va faire sa promenade ! » Je souris intérieurement. S'ils avaient une idée des visions qui m'attendent quand j'entre en transe dans le sanctuaire que je me suis aménagé au Bois de la Côte, ils ne se poseraient plus de questions.

Ozias et Adéline — quels beaux noms pour des gens aussi puants ! — m'ont obligée à me poser toutes sortes de questions. C'est ainsi que j'en suis arrivée à me dire que la vie vaut encore d'être vécue. Il y a des jours où je n'en suis plus sûre. D'autres images viennent alors s'emparer de mon esprit. Quand donc les éliminerai-je toutes ?

❑

Cathène, Zilda et Matti, est-ce que ces noms te rappellent quelque chose ? Ils étaient là au moment où vous êtes arrivés au Chemin-Taché. Ils étaient venus s'installer quelques années auparavant dans une maison délabrée qui est disparue depuis longtemps. Elle se trouvait juste à l'est de la maison des Bonenfant où tu allais chercher le courrier du père Michel quand tu avais dix ans. D'où venaient-ils ? De Saint-Arsène ou de Saint-Éloi, on n'a jamais su exactement. Comment en étaient-ils arrivés à ce degré de dénuement, on ne l'a jamais su non plus.

Ils avaient donc découvert cette maison qui tombait en ruine et ils étaient venus s'y installer avec leur chien, un jour pluvieux d'automne. Ils devaient avoir dans les soixante-dix ans. Ils ont recommencé ici ce qu'ils faisaient probablement dans leur pays d'origine. Pouvaient-ils faire autre chose ? Ils n'avaient aucun moyen de subsistance.

Ils quêtaient.

Les trois ensemble, suivi du chien attelé à sa traîne pendant l'hiver, à son cabarouet pendant l'été. Ils allaient de maison en maison, recevant ici une miche de pain, là un morceau de lard ou de bœuf, ailleurs des pois et des fèves. Ils acceptaient tout.

De leurs vrais noms Catherine, Azilda et Matthias, je suppose. Ne les vois-tu pas se promener sur la route, dans leurs vieux couvre-chaussures, avancer lentement dans la neige et le vent pour pouvoir trouver quelque chose à manger sur leur table, le soir? Qu'est-ce qui avait bien pu les amener au Chemin-Taché? Avaient-ils été la proie de quolibets dans leur village? C'est probable. Ce qui s'était produit chez eux s'est produit ici. Les enfants d'école, on dirait, sont incapables d'accepter les horreurs de la nature. Combien de fois ai-je été obligée de sortir sur la galerie pour empêcher les enfants Roy et Ouellet de lancer leurs injures à la pauvre Zilda qui, pour savoir où elle marchait, devait s'ouvrir de la main droite le seul œil avec lequel elle pouvait y voir un peu? Les enfants la traitaient de tous les noms: vieille folle, vieux singe, vieille peau, vieille plotte, vieux rattatin, et tout ce que tu voudras. Chaque fois qu'elle entendait quelqu'un l'insulter, elle s'arrêtait, s'ouvrait l'œil et commençait à son tour son chapelet d'injures:

— P'tit maudit polisson! Qui c'est qui t'a mis autant de marde dans la bouche? C'est ton père? Ce serait pas surprenant! Sa bécosse sent jusque chez nous. Si j'te pogne, j'vas te vider les tripes. J'vas t'éventrer. Ça en fera un de moins à empester vos bécosses. P'tit maudit chenapan!

Alors, c'étaient les rires des enfants qui, pour lui faire continuer ses litanies, l'appelaient « vieille charogne ». Elle se mettait tellement en colère qu'elle ne pouvait plus ouvrir son œil et relevait ses jupes pour rattraper le chenapan en criant: « Mon p'tit maudit écœurant! » pendant que Cathène et Matti la rattrapaient et lui disaient de se calmer.

Heureusement que Cathène et Matti étaient là pour la ramener à la raison. Mais je soupçonne que ces trois-là devaient souvent rentrer chez eux, après leur tournée, en pleurant de rage, de peine ou de désespoir.

Quelle vision que ces trois vieux, habillés de haillons, perclus de rhumatismes, toussant et crachant à cœur d'année, obligés de faire du porte-à-porte par tous les temps pour mettre quelque chose sur leur table ! Trois grosses taches grises sur l'éclat de la neige. Des bonnets de laine, des jupes en étoffe du pays, des châles pour les protéger du vent ! Et Matti avec son makina sale qu'il portait même en été ! Ils ne sont jamais morts de faim. Ils ne sont jamais morts de froid.

Matti volait son bois de chauffage un peu partout, chez celui-ci, chez celui-là. Personne n'osait lui en faire de reproches. Le soir, la fumée s'élevait au-dessus de leur pauvre vieille maison. On a raconté que Matti ne volait pas seulement du bois de chauffage mais aussi des poules, à la faveur de la nuit. En tout cas, il n'a jamais été pris sur le fait. Mais à tout bout de champ, quelqu'un se plaignait que ses poules disparaissaient mystérieusement. On accusait Matti. Matti continuait à se promener au fronteau des terres du Chemin-Taché, en quête de bois de chauffage, sans même savoir qu'on le traitait de voleur dans son dos.

Pauvres hères !

Quand je pense que le curé a voulu les expulser de la paroisse ! Eh oui ! Ils ne faisaient pas de religion. Pourtant, ils avaient bien assez à faire les jours de semaine pour se mettre quelque chose sous la dent qu'ils pouvaient bien se reposer le dimanche. Comment veux-tu que des vieux pareils fassent deux milles et demi pour se rendre à la messe du dimanche ? Le curé ne l'entendait pas ainsi. S'ils pouvaient mendier leur nourriture, ils pouvaient aussi se rendre à l'église une fois de temps en temps, au moins pendant le temps de Pâques. Pourquoi, quand on y pense bien, se seraient-ils rendus à l'église? Pour remercier Dieu de les noyer dans la misère? Tout à fait par hasard ce jour-là, j'ai été témoin d'une scène que je ne pourrai jamais oublier.

Il devait être près de midi, un jour d'octobre. J'étais assise sur ma galerie, en face de l'école. Le curé y était entré une heure auparavant pour y faire sa visite semi-annuelle. Cathène et Zilda s'en venaient sur la route, suivies de leur chien qui tirait le cabarouet derrière elles. Elles avaient fait le tour du Chemin-Taché le jour précédent et j'imagine qu'elles allaient, de ce pas, mendier dans la grande ligne-nord ou au 3e de Saint-Clément. Et voici que le curé, en sortant de l'école, se retrouve en face des deux vieilles. Tout guilleret, il leur dit :

— Quand est-ce que vous allez venir faire un p'tit tour à l'église?

Zilda n'avait pas encore ouvert son œil. Elle ne savait donc pas qui se trouvait devant elle. C'est Cathène qui répondit au curé pendant que Zilda, entrouvrant son œil, essayait de voir quel malotru était en train de les insulter.

— Quand le curé viendra quêter à notre place.

— Ma chère Catherine…

— Tout le monde m'appelle Cathène.

— Je voulais dire…

— Quoi?

— Je suis le curé de la paroisse. Je n'ai pas le temps de me mettre à quêter pour tous les pauvres. Je n'en finirais plus.

— Vous aimez mieux vous occuper des riches? Eux autres, ils ont le temps d'aller à l'église.

— Vous comprenez mal. L'église, c'est pour tout le monde.

Zilda avait maintenant ouvert son œil et avait reconnu l'homme ensoutané. Elle se hâta de se joindre à la conversation.

— Il est gras comme un cochon, c'ti-là ! D'où c'est qu'y sort ?

— Azilda, je suis votre curé !

— C'est-y ben vrai, ça ? On vous a jamais vu chez nous. Un curé, ça s'occupe de ses paroissiens.

— J'attendais que vous veniez faire un tour à l'église.

— Pour quoi faire ?

— Prier le bon Dieu, voyons !

— En v'là une bonne ! Vot' bon Dieu, vous pouvez le torcher comme vous voudrez. Nous autres, on veut pas y toucher. Si c'est vrai que c'est le bon Dieu, j'aimerais lui demander pourquoi j'ai été obligée de passer ma vie à quêter, pourquoi j'ai des rhumatismes, pourquoi je suis presque aveugle, pourquoi tout le monde nous insulte quand on passe sur la route. Vot' bon Dieu, j'peux vous dire que c'est un cochon. Y nous laisse mourir de faim et y voudrait qu'on aille lui dire des p'tits mots d'amour le dimanche matin. Qu'y commence à nous en dire pour voir ! Y aime ben trop les gros gras pour s'occuper des restes comme nous autres.

— Azilda, je ne vous permets pas…

— Vous avez pas le droit de rien me défendre. Vous m'avez jamais rien donné, pas même une couenne de lard. Qui c'est qui vous donnerait le droit de…

— Vous habitez ma paroisse !

— Votre paroisse ? Êtes-vous fou ? Qui c'est qui vous a donné la paroisse ? Parsonne. Nous autres, on reste au Chemin-Taché et on a autant le droit de rester par icitte que n'importe qui !

Cathène voulut la calmer.

— Voyons, Zilda !

— Tu vas pas m'dire, Cathène, que tu vas t'laisser faire par un mangeux d'hosties pareil !

— Ça t'donne rien de l'insulter.

— Qui c'est qui a commencé ?

Le curé ne savait plus sur quel pied danser. Le bedeau arrivait avec son boghei pour le ramener à Saint-Amable. Il ne voulait pas perdre la face. Les enfants qui venaient de sortir de l'école s'étaient rassemblés autour des belligérants.

— Vous ne respectez donc rien ni personne ?

— Tu veux dire qu'on devrait te respecter, toé, un gros frais chié qui est même pas capable de sentir sa marde ?

Je revois encore les enfants se tordre de rire devant le langage cru de Zilda. Le curé en devint gêné, embarrassé.

— Allez, les enfants, allez-vous-en chez vous.

Personne ne bougeait.

— Ça leu fait du bien, les enfants, d'apprendre à qui y z'ont afféré : un chiant-culottes !

— Si vous continuez à m'insulter, je vais vous faire expulser de la paroisse ! La maison où vous demeurez ne vous appartient pas.

— C'est pas à toé non plus. Pis si vous nous faites expulser, je reviendrai mettre le feu à vot' matelas. Je vous ferai griller le cul pour vous fére entrer au ciel en martyr. C'est-y ça que vous voulez ?

— Azilda !

— J'vous défends de prononcer mon nom. C'est un nom qui est propre. J'veux pas l'entendre dans des gueules sales ! Laissez-nous passer !

Le curé en profita pour monter dans son boghei et, une fois installé sur son siège, fit signe au bedeau d'y aller. Au moment où la voiture partait, Zilda se mit à rire comme une folle. Elle se tenait le ventre d'une main et renvoyait la tête en arrière pour mieux savourer sa joie. Elle se redressa tout à coup pour envoyer une dernière poignée d'invectives au curé :

— R'gardez-moé ça, si c'est possible ! Gros plein de marde ! Va donc mettre de l'eau bénite dans ton gruau avant de venir nous jeter ton encens. Espèce de singe ensoutané ! Va coucher avec ta sainte vierge, ça va te faire du bien ! Si t'es capable de bander ! Si je me trompe pas, tu dois l'avouèr assez ratatinée pour faire de la soupe pour les sœurs ! Ça leu f'rait du bien, ces pisseuses-là !

Cathène passa son bras sous le sien et lui dit qu'il était temps de se remettre en marche. Les enfants se dispersèrent. Quelques secondes plus tard, alors qu'elles passaient juste en face de moi, je vis une chose assez étrange. Zilda pleurait en s'appuyant sur Cathène qui lui disait des « Voyons ! voyons ! Zilda, faut pas penser à ce fou-là... voyons ! »

Et de voir tout à coup ces vieilles mains effacer gauchement les larmes qui roulaient sur ses joues, je me sentis défaillir. Je courus me jeter sur mon lit et je pleurai à mon tour. Plus tard, rassérénée, j'essayai de revoir toute la scène. Je ne savais plus quoi penser. Je voulais bien respecter le curé, le défendre si nécessaire, mais il me semblait que la vérité était du côté de la folie. J'emploie le mot folie, puisque c'est celui qui m'est venu à l'esprit. Je n'en suis plus sûre maintenant. Zilda, je crois, avait beaucoup plus conscience de ce qui se passait autour d'elle que la plupart des gens qui l'écoutaient, y compris le curé.

L'histoire de Cathène, Zilda et Matti s'est terminée quelques semaines ou quelques mois plus tard. Une nuit, les voisins sont venus nous réveiller en nous disant que la maison de Cathène flambait. Je me précipitai à ma fenêtre-guet. Tout ce que je pus voir dans la nuit, ce fut une boule de feu. Des gens essayèrent, appris-je plus tard, de pénétrer dans la maison pour faire évacuer les occupants. Il était déjà trop tard. Au matin, on retrouva les restes de ces pauvres hères complètement calcinés.

La fabrique prit sur elle d'acheter un cercueil dans lequel on mit les trois corps et, le lundi suivant, on les conduisit à l'église qu'ils avaient refusé de fréquenter. Je tenais à leur dire adieu. Je demandai à Émile de me conduire à Saint-Amable. Émile était tout surpris.

— C'est pas nos parents !

— Non, mais… j'voudrais que quelqu'un ait de la peine de les voir s'en aller comme ça !

— T'es drôle, toi !

L'église était presque remplie. On a chanté un beau *Dies irae Dies illa*. Le curé n'a pas voulu laisser passer l'occasion de faire un sermon édifiant. Si j'avais eu plus de courage, je crois que je me serais levée pour l'empêcher de continuer. «Voilà ce que c'est, mes frères, quand on refuse de servir Dieu. Quand on l'insulte dans la personne de son représentant. Il est vrai que nous n'avons pas le droit de juger notre prochain. Les voies de Dieu sont impénétrables. Avec vous, je souhaite que ces presque hérétiques trouvent grâce devant le grand Maître. Il y a quand même une leçon à tirer de ce qui vient de se produire : c'est que le bon Dieu n'aime pas qu'on le mette de côté, qu'on le ridiculise dans sa sainte religion. Le Dieu miséricordieux est aussi un Dieu vengeur. Nous venons d'en avoir une preuve éclatante. Rappelez-vous donc, mes frères, qu'il ne faut jamais défier ce Dieu des chrétiens, qu'il ne faut jamais rabaisser son nom. Que d'autres, à Saint-Amable, refusent de servir ce Dieu comme ces pauvres gens sur lesquels nous pleurons, et je suis sûr que ce même Dieu les punira comme autrefois le Dieu d'Isaac et de Jacob a détruit tous ses ennemis. Prenons donc aujourd'hui la résolution de mieux servir Dieu, de respecter sa religion et ses prêtres. De cette façon, nous n'aurons pas à avoir peur, le jour où nous paraîtrons devant lui. Priez avec moi, mes frères, pour l'âme des défunts. Demandons à Dieu d'avoir pitié d'eux.»

Je suis sortie de l'église le cœur rempli d'amertume. Je me rendais compte que tout le monde avait bu les paroles du prêtre comme s'il s'était agi de paroles de sagesse et de justice. J'étais révoltée. J'ai demandé à Émile de me ramener le plus tôt possible au Chemin-Taché. Dans la voiture, je me suis mise à pleurer. Émile ne comprenait pas. Il a encore eu la même phrase :

— T'es drôle, toi !

Donc, le Dieu miséricordieux est aussi un Dieu vengeur.

J'ai mis des mois à me remettre de cette belle vengeance de Dieu sur les êtres les plus démunis de la terre. Il y a longtemps que j'ai cessé de croire en ce Dieu vengeur. Au fil des années, j'ai été obligée de me faire une image de Dieu qui est assez différente de celle que les prêtres veulent nous donner de lui. Mais je ne comprends toujours pas, à mon âge, pourquoi il y a tant de misère sur la terre. Le spectacle de cette misère est si difficile à supporter, à certains moments, qu'on en vient à croire que Dieu n'a jamais existé. Pour continuer à croire en lui, il faut absolument se dire que, si vraiment il existe, il est aussi impuissant que nous devant les iniquités de la vie et que la seule consolation qu'il aura, ce sera de nous ouvrir les bras un jour et de nous aimer à en pleurer de joie, de toutes les façons possibles et imaginables.

Tu n'étais pas là quand la maison de Cathène et Zilda a passé au feu. Dans le fond, le bon Dieu en avait peut-être assez de les voir souffrir et il a pris un bon moyen de les rappeler à lui avant qu'ils ne meurent de leur mort naturelle. Mais les choses ne se sont pas tout à fait passées de la même façon dans le cas des infirmes de la famille Saint-Germain.

Les avais-tu oubliés, ceux-là ?

Tu leur as rendu visite, toi aussi, comme nous tous, parce que nous savions qu'ils aimaient voir des gens. Une fois par année, je me rendais avec Émile dans la grande maison que tu connais. On nous amenait dans la salle de séjour où les cinq infirmes, lavés, changés, renippés, nous attendaient avec le sourire. Ils étaient prêts à engager la conversation.

Quatre filles et un garçon qu'on alignait, dans leurs grandes chaises, contre le mur du fond de la salle de séjour. Cinq adultes qui avaient encore le visage et la voix d'un enfant et qui cachaient sous des vêtements faits exprès cette partie de leur corps qui n'existait pas ou qui était complètement atrophiée. Des êtres humains dont le corps, on aurait dit, ne commençait qu'aux hanches ou en haut des fesses ; qui devaient passer leurs journées ainsi, incapables de se déplacer eux-mêmes, complètement à la charge et à la merci de leurs parents.

C'est probablement la chose la plus terrible qu'il m'ait été donné de voir. La première fois que je suis entrée dans cette maison, après mon arrivée au Chemin-Taché, j'en suis ressortie abasourdie. Pourquoi, après avoir donné naissance à cinq enfants normalement constitués, Émérance Saint-Germain avait-elle donné naissance à ces cinq infirmes ? Un autre est venu après, normalement constitué. C'est lui qui a succédé au père. Aucun infirme dans sa descendance, Dieu soit loué.

J'ai encore dans l'oreille le bruit de leur caquetage, lors de ces visites chez les Saint-Germain. Ils parlaient de tout et de rien, commentaient les nouvelles qu'ils entendaient à la radio, nous posaient des questions sur tout ce qui nous concernait, avaient l'air de connaître notre vie par cœur. C'est le son de ces voix qui me revient après tant d'années. Des notes aiguës d'une chanson mal apprise, des cris de tourterelles en mal de joie, un babil de basse-cour.

On aurait dit les êtres les plus heureux du monde! Leurs rires éclataient à tout bout de champ au milieu de la conversation, parce qu'ils trouvaient toujours un côté drôle aux événements dont on discutait. Dans toute cette cacophonie, la voix du garçon, plus aiguë que les autres, planait au-dessus de celles des filles. C'est sa voix qui me perce encore le tympan quand je repense à eux. Je ne sais pourquoi elle me faisait plus mal que celle de ses sœurs.

Comment imaginer ces adultes-enfants, prisonniers dans une chaise spécialement construite pour eux, vingt-quatre heures par jour? Les aînés leur avaient appris à lire, à écrire. Ils nous assuraient donc qu'ils n'avaient pas le temps de s'ennuyer. Ils lisaient des romans d'amour. Ils faisaient des mots croisés. En un mot, ils trouvaient la vie belle. Et je crois que les gens du Chemin-Taché les ont crus.

Les jours qui suivaient ma visite chez eux, je les avais constamment à l'esprit. Puis, comme d'autres, je finissais par les oublier. C'est plus tard que j'ai commencé à me demander où ils pouvaient trouver la force de nous laisser croire qu'ils étaient heureux. Comment peut-on être heureux quand on sait que la vie est une porte fermée qui ne s'ouvrira jamais? Est-ce le Dieu vengeur qui avait permis qu'Émérance donne le jour à ces petits monstres?

Le Dieu vengeur s'adoucissait une fois par année. On apprêtait un autel dans la grande salle de séjour et le curé venait un bon matin dire la messe chez eux, pour eux, avec eux. J'ai assisté moi-même une fois à la cérémonie, puisque les Saint-Germain, à cette occasion, invitaient leurs voisins à se joindre à eux. Je les ai tous vus communier l'un après l'autre, se recueillir comme des anges, le visage épanoui de joie au moment où le prêtre disait: «*Ite missa est.*» Est-ce que c'est cela qu'on appelle la foi?

Un soir, je me trouvais là au moment où la voix de l'évêque, à la radio, s'est mise à réciter le chapelet. Je les ai vus étendre leur chapelet devant eux comme s'il s'était agi d'un puissant porte-bonheur et répondre à la voix de l'évêque avec des accents empreints d'une douceur et d'un contentement indicibles. On aurait dit qu'ils défiaient le monde, qu'ils voulaient lui prouver que leur sort était enviable.

Évidemment, ils étaient à plaindre, mais les parents ne l'étaient-ils pas tout autant? On peut prendre soin d'un infirme, oui, mais comment suffire à la tâche si longtemps avec cinq infirmes sur les bras? Les nourrir, les laver, les mener à la salle de bains je ne sais plus combien de fois par jour, les torcher, les préparer à recevoir des visiteurs! Car il en venait de Rivière-du-Loup, de Rimouski et même de Québec. Les infirmes n'avaient pas l'air de se rendre compte, ni leurs parents, qu'il s'agissait d'une curiosité malsaine. On venait de loin pour les voir, comme on prend la peine de se déplacer pour aller voir des monstruosités dans les cirques.

Recevoir des gens d'ailleurs, c'était leur façon à eux de voir le monde. Ils s'émerveillaient d'apprendre que la grosse dame qui venait de s'arrêter chez eux venait de Charlevoix ou de Sorel. Le lendemain ou le soir même, ils repéraient le nom de la ville sur une carte et se disaient que c'était tout de même extraordinaire que des gens de cet endroit aient entendu parler d'eux et aient eu le désir de les voir. Il ne leur est jamais venu à l'esprit que ces visiteurs n'avaient qu'une idée en tête, satisfaire leurs instincts de voyeurs.

Je me pose la question: comment ces enfants-adultes, intelligents, délurés, pouvaient-ils accepter de continuer à vivre? Comment? Je suis incapable de trouver la réponse. Je n'ai jamais voulu de mal à personne, mais je crois que si j'avais donné naissance à un seul infirme, je me serais sentie obligée de l'empoisonner pour l'empêcher de tomber dans le désespoir. Les infirmes Saint-Germain, si je ne me trompe, n'ont jamais connu le désespoir. Ils se sont nourris des saintes vérités de notre religion et ils ont cru fermement que le ciel leur rendrait tout l'amour qu'ils n'avaient pu avoir en ce monde.

Ils sont morts l'un après l'autre avant d'atteindre les trente-cinq ans, pendant que tu étais au collège. Les quatre filles d'abord, à intervalles réguliers d'une année ou un peu plus. Quinze jours après le décès de la dernière, on a retrouvé le garçon sans vie dans sa chaise. On a fini par apprendre à travers les branches qu'il ne serait peut-être pas mort de mort naturelle. Mais personne n'a jamais osé dire publiquement qu'il s'était suicidé. On avait une trop haute opinion des Saint-Germain pour oser imaginer qu'un membre de leur famille ait pu faire une chose pareille. Qu'est-ce qui pouvait le retenir à la vie, maintenant que ses compagnes de misère avaient toutes quitté la grande salle qui avait abrité leurs joies? Je suis peut-être cruelle, mais je serais heureuse d'apprendre qu'il s'est enlevé la vie. On ne peut tenir à la vie quand la vie est une mort vivante. Jean-Eudes a probablement compris cela. Quoi qu'il en soit, leur passage de vie à trépas m'a enlevé un poids énorme. Et quelle délivrance pour Émérance et son mari Albert!

Encore aujourd'hui, chaque fois que je passe devant la maison des Saint-Germain, je ne puis m'empêcher de revoir cette rangée d'infirmes alignés contre le mur du fond de la salle de séjour, d'entendre leur babillage incessant, leur joyeuse conversation. Leur vie? Une souffrance continuelle. Pourquoi la vie devrait-elle être une souffrance continuelle?

Elle ne peut être que bonheur, mais n'est-il pas indispensable que nos souffrances se transforment quelquefois en joies pures et palpables?

Est-ce le Dieu vengeur qui a décidé, à un moment donné, qu'il allait torturer des êtres humains pour le plaisir de savoir qu'il était tout-puissant ? Décidément, il restera toujours des mystères que nous ne pourrons pas comprendre, mais ils ne ressemblent en rien à ceux dont on parle dans le petit catéchisme.

Parlant des Saint-Germain, j'en viens à penser à Jean-Pierre Saint-Germain, fils de Gédéon, frère d'Albert, donc cousin des infirmes. Gédéon demeurait, tu t'en souviens, tout au bout du Chemin-Taché, près du village de Saint-Amable. Ces Saint-Germain n'avaient eu que deux enfants, un garçon et une fille. Tu es allé à l'école avec eux. Ils avaient à peu près ton âge.

Évidemment, Gédéon Saint-Germain comptait sur son fils pour continuer la lignée. Jean-Pierre était assez frêle. On pourrait même dire qu'il avait des manières de fille. Dans un pays comme le nôtre, cela ne porte pas à conséquence, puisque tout le monde se marie, sauf les vieilles filles qui ne peuvent trouver l'âme sœur. Je m'aventure sur un chemin que je ne connais pas beaucoup, mais je présume que ce sont ses parents qui lui ont dit, quand il a eu vingt ou vingt et un ans, de commencer à aller voir les filles. Jean-Pierre s'est donc fait une blonde, une petite Lalonde de la grande ligne-sud, et il s'est mis à la fréquenter régulièrement. Puisque les fréquentations sont des occasions de péché, on a dû lui dire, après un certain temps, qu'il devait penser au mariage. Mariage il y eut, un samedi de mai. Une belle noce, comme on en voit rarement chez nous. J'avais été invitée avec Émile et je ne sais pourquoi j'ai tenu à assister à la danse, ce samedi soir, chez Gédéon.

Les mariés étaient radieux. Ils avaient bu un peu. Peut-être beaucoup. Pendant la soirée, on a arrêté la danse je ne sais plus combien de fois pour obliger les nouveaux mariés à s'embrasser. La joie ruisselait de partout. De temps en temps, j'avais comme une sorte de piquement au cœur. Je parvenais difficilement à croire à toute cette joie, à tout ce bonheur.

Nous avons quitté la noce à une heure avancée de la nuit. J'avais bu du vin et je me sentais bien. J'ai dormi comme une bienheureuse. J'ai rêvé que ce n'était pas Jean-Pierre Saint-Germain qui épousait, ce jour-là, Odette Lalonde, mais bien Michel Ouellet et Carmélia Beaulieu qui unissaient leur vie pour l'éternité. Dans mon rêve, j'ai fait l'amour toute la nuit avec Michel qui, à plusieurs reprises, m'a transportée au septième ciel, ou au vingtième, comme tu voudras.

Le lendemain, nous apprenions la mauvaise nouvelle. On avait retrouvé Jean-Pierre au fronteau de la terre de son père, noyé dans quelques pieds d'eau, dans la petite rivière qui passe à cet endroit. On en a déduit que Jean-Pierre avait trop bu, qu'il était parti à l'aventure sans savoir ce qu'il faisait et qu'il avait voulu se ragaillardir dans l'eau de la rivière.

On trouve toujours des explications pour éviter de faire face à la vérité. On remet sa conscience sur le droit chemin qui est souvent le chemin le plus croche qu'on puisse imaginer. Moi, Carmélia, je savais pourquoi Jean-Pierre s'était suicidé.

J'imagine que tu le sais, toi aussi. Tu l'as côtoyé à l'école. Tu n'as peut-être jamais été son ami, mais je suis sûre qu'il avait besoin d'amis. Il n'en a jamais trouvés parce que ce mot-là avait un autre sens pour lui que pour nous. On l'a obligé à prendre femme et à se conduire comme tout le monde. Il a tout accepté, il a obéi à ses parents, à la petite société qui l'entourait, mais il n'a pu se résigner, le moment de vérité venu, à continuer à mentir. Il est parti comme un fou, après la noce, respirer l'air pur des champs et, se regardant dans la rivière, au clair de lune, il s'y est plongé pour mettre fin à tous les mensonges qu'on l'avait obligé à faire.

Tout Saint-Amable a pleuré Jean-Pierre. Un fils modèle! Un enfant qui promettait de donner d'autres fils modèles à la patrie. Je suis sûre qu'Odette Lalonde, dans sa naïveté, n'a jamais pu imaginer pourquoi son mari avait voulu mourir. L'année suivante, elle se trouvait un nouveau mari et elle a maintenant une nuée d'enfants.

Jean-Pierre, c'est un enfant à qui j'aurais voulu dire de quitter le Chemin-Taché, à qui j'aurais voulu conseiller de s'en aller loin pour pouvoir enfin vivre sa vie comme il l'entendait. Mais le Chemin-Taché, c'est le Chemin-Taché. On n'a pas toujours les moyens de s'en éloigner.

Tout le monde a eu du regret de le voir partir de cette façon, mais personne n'a eu de remords. C'est dire jusqu'à quel point nous nous nourrissons de fables. Il y a plusieurs années que j'y réfléchis et j'ai fini par me dire qu'elles ont plus d'emprise sur nous que le quotidien le plus ordinaire.

Hier soir, je prenais le frais sur la véranda et j'écoutais les cris des enfants qui jouaient aux alentours. Ils regardent la télévision mais ils n'ont pas encore perdu l'habitude de se rassembler, après le souper, et de continuer à réinventer les jeux d'autrefois. Tout à coup, entre l'école et la maison des Roy, j'ai vu un groupe de filles jouer à *La tour, prends garde*. J'ai dû les voir jouer à *La tour, prends garde* des douzaines de fois sans m'y arrêter. Hier soir pourtant, la vision des filles qui jouaient à ce jeu m'a soudain projetée dans une autre vision, vieille celle-là de bien des années. Je vais, je m'en rends compte, te rappeler une histoire que tu connais bien, mais que tu as probablement oubliée. Ces enfants m'ont rappelé la petite institutrice qui s'appelait Lucienne Martin, une de tes premières institutrices, si ma mémoire est bonne. Elle pensionnait chez nous, elle aussi.

Tu me vois venir, Claude. Il n'y aurait rien de plus à raconter à son sujet qu'au sujet des autres qui se sont succédé ici,
sinon qu'elle s'est permis de devenir enceinte au milieu de
l'année scolaire.

Quel beau scandale cela a fait quand on s'est rendu
compte de la chose! J'arrive tout de suite à la partie de
l'histoire que tu ne connais pas. Cette Lucienne Martin, elle
était fière et elle avait de l'allure. Elle portait la tête haute
et semblait défier tout le monde. Elle s'était mis dans la
tête, même si les gens savaient, de continuer à faire son
école comme si de rien n'était. J'étais bien d'accord avec
elle.

Elle se croyait forte et elle était prête à défendre son
poste. C'est le curé qui est d'abord venu lui dire qu'elle
était une cause de scandale pour le Chemin-Taché et toute
la paroisse de Saint-Amable. Il lui a conseillé de démis-
sionner sur-le-champ. Elle lui a répondu qu'elle avait signé
un contrat et qu'elle le respecterait. Puis les commissaires
d'école se sont réunis. Émile était le représentant du
Chemin-Taché. Il m'a raconté en gros ce qui s'était passé à
cette réunion. Il en a entendu de bonnes. Il a quand même
réussi à raisonner ses collègues après leur avoir appris que
l'enfant qui s'en venait n'était pas de père inconnu et que
s'il leur fallait un mariage la semaine suivante, ils l'auraient. Émile est allé plus loin qu'il n'aurait dû. Il connais-
sait bien le chauffeur de camion qui était responsable du
scandale. Il savait qu'il avait l'intention d'épouser sa maîtresse d'école quand l'heure serait venue, mais pas avant.
L'argumentation d'Émile a quand même calmé les esprits
et on a laissé «border», comme on dit ici. Lucienne Martin
a pu continuer à enseigner comme si de rien n'était.
Combien de fois cependant, pendant les mois d'avril, mai
et juin, ne l'ai-je pas vue entrer à la maison, le soir, en
pleurant? Il y avait toujours un élève qui se permettait, à

un moment donné, indirectement, de lui faire des remarques désobligeantes. Par exemple, quelqu'un criait
juste avant qu'on se mette en rangs pour la rentrée:
«Comment c'qui va s'appeler?» Un autre disait en sortant
de l'école: «Ça va être un petit singe qui va déculotter les
filles.» Ou encore, elle entendait, comme par hasard,
pendant la récréation, une voix qui disait: «Si c'était rien
qu'un rat qu'elle aurait avalé!» Mais le pire, elle l'a
entendu ce midi-là alors qu'elle avait dû, quelques minutes
avant de sonner sa cloche, utiliser les bécosses qui se
trouvaient dans la *shed* attenante à l'école. Une fenêtre de la
shed était ouverte. Un groupe de garçons chantait en scan-
dant les mots:

> *Il va naître cet enfant de putain*
> *Jouez hautbois résonnez musettes*
> *Il va naître rien qu'avec une main*
> *Ça va faire un enfant divin!*

Puis une voix reprenait:

> *Une école s'ra son logement*
> *Une école et pas de couchette*
> *La couchette, elle est v'nue avant*
> *Chantons tous cet enfant d'putain!*

Et le chœur reprenait:

> *Il va naître cet enfant d'putain...*

Je suis sûre que tu n'as jamais entendu cette belle
chanson parce que tu ne te rendais à l'école qu'au moment
où la cloche sonnait, à une heure. Tu l'as peut-être
entendue aussi et tu n'as pas pris la peine de t'arrêter à

toute la méchanceté de ces mauvais couplets. Il paraît qu'il y en avait au moins trois ou quatre avec d'autres mots qui rimaient avec « couchette ». Le jour où Lucienne Martin a entendu cette cochonnerie chantée par ses élèves, elle a renvoyé les enfants à trois heures de l'après-midi. Elle n'en pouvait plus. Elle est arrivée ici quelques minutes après, suffoquant sous les larmes. Je savais qu'il s'agissait encore de quolibets, mais j'ai dû attendre au moins une heure avant d'avoir le fin mot de l'histoire. Je n'ai jamais vu personne, dans ma vie, pleurer comme cette fille, cette enfant qu'on était en train de couvrir de ridicule. À la fin, elle m'a tout raconté. J'essayais de la réconforter. Elle allait recommencer à pleurer quand je me suis mise à rire. Elle s'est mise à rire avec moi. Alors je lui ai dit que cet enfant de putain, ce serait le plus bel enfant du monde, un enfant qui ferait parler de lui dans tout le pays. Qu'un jour, sa mère en serait très fière. Je ne sais si elle m'a crue mais, le lendemain matin, elle traversait la route pour se rendre à l'école, la tête haute, les yeux pleins de lumière.

Je suis sûre que, laissée à elle seule, ce jour-là, elle aurait tout de suite, malgré sa détermination, repris le chemin de Saint-Éloi et que votre année scolaire aurait été écourtée d'un mois ou deux. Quelques jours plus tard, en la voyant sonner sa cloche pour la rentrée, je me suis mise à rire toute seule en revoyant la scène où elle m'avait récité les mots de cette chanson grivoise.

Quand son grand chauffeur de camion est venu la chercher, après son dernier jour d'école, je l'ai prise dans mes bras, devant lui, sans dire un mot. Elle savait que je leur souhaitais des tonnes de bonheur. Il n'y avait qu'à les regarder pour savoir que si le bonheur existait, il était devant moi.

❑

Quand j'ai commencé à lire de vrais livres, je ne pouvais m'empêcher de me demander comment les auteurs parvenaient à nous faire croire aux drames qu'ils racontaient. Pendant quelques années, j'ai cru que tous ces drames n'avaient existé que dans leur imagination en furie. Un jour, en lisant *La Presse*, j'ai eu une révélation : les pages de cette gazette étaient remplies de drames de toutes sortes. Évidemment, l'étude psychologique n'y était pas. C'est ce jour-là que j'ai compris que des drames, il y en a partout, qu'ils sont notre lot quotidien. En dépit de cette découverte, je continuais à penser qu'en fait de drames le Chemin-Taché était bien pauvre. C'est avec les années, quand j'ai commencé à ressusciter mes morts, que le voile s'est déchiré dans mon esprit et que je me suis rendu compte que j'avais passé ma vie au milieu des drames.

Je viens d'en faire revivre quelques-uns. J'en ai retrouvé d'autres en ressuscitant mes morts. Je t'ai dit plus haut que je me rendais souvent au Bois de la Côte, en empruntant le chemin de voitures de votre ancienne terre. Je ne t'ai pas dit ce que j'allais faire au Bois de la Côte. Tu te souviens certainement de cet immense bocage, rempli de bouleaux et de peupliers qui se trouvait, se trouve toujours, sur la terre d'Alphonse Ouellet, surplombant toute la région. C'était un endroit de repos extraordinaire où les enfants allaient jouer souvent. Aujourd'hui, ils n'ont plus le temps de faire cette randonnée pour aller prendre leurs ébats. Je me suis donc emparée de ce Bois de la Côte, c'est mon domaine et c'est là que j'ai commencé à converser avec mes morts.

Tu vas sans doute, en lisant cette lettre, te persuader que je suis un peu folle. Je me le dis, moi aussi. Mais je tiens à ma folie et je suis heureuse de pouvoir la contenter.

As-tu assez parcouru ce bois pour savoir qu'au centre on trouve une sorte de rocher plutôt élevé, terminé par une plateforme de bonne grandeur et unie ? Assez grande pour que quelqu'un y installe un banc autrefois pour mieux voir la clairière en avant et sentir la vie dans les branches des arbres. La clairière est plutôt restreinte. Elle donne l'impression d'un théâtre, d'une scène où l'on s'attendrait à voir surgir des personnages. C'est en songeant à cette idée de scène que j'ai eu l'intuition de les faire venir, ces personnages, et de les obliger à jouer.

Bien assise sur mon rocher, les jambes pliées sous ma grand-jupe, je me suis mise à rire de mon audace. Qui étais-je pour redonner la vie à ces gens, ne serait-ce que l'espace de quelques minutes, de quelques heures? Puis, j'ai oublié bien vite ces questions pour passer à l'action.

La première fois, en fermant les yeux, j'ai commandé à Marcellin Gendron et à sa femme Josephte de se présenter sur ma scène. Ils étaient déjà très vieux quand tu es arrivé au Chemin-Taché, mais ils avaient eu le temps, avant que tu naisses, d'élever une bonne dizaine d'enfants sur une terre qui n'avait que la moitié de la superficie des autres du Chemin-Taché. À ma grande surprise, j'ai vu soudain Marcellin sortir du bois et se diriger vers ma clairière. Il était toujours aussi vieux et courbé dans ses habits en étoffe du pays. Il fumait une pipe recourbée et son tabac sentait mauvais. Il s'est planté devant moi et m'a dit:

— Qu'est-ce que tu me veux?

— Je ne te veux rien. Je veux simplement vous écouter causer, toi et Josephte.

Il s'est mis à crier à Josephte, qui est apparue à son tour et l'a rejoint. Elle, d'ordinaire si douce et si triste, avait perdu toute crainte.

— Espèce de vieux fou! Qu'est-ce que tu veux encore? Ta soupe est pas assez chaude?

— Pis, y a rien dedans.

— T'as en belle, tue-moi un veau!

— J'veux les vendre pour payer la terre!

— Pendant ce temps-là, on crève de faim !

— Sume plus de légumes.

— Des légumes, pas de viande, ça donne pas ben ben de forces.

— Y reste pus de lard salé ?

— C'est pas une vie, du lard salé, voyons ! J'sais pas pourquoi t'as pas été capable de te payer une terre, comme tous les autres au Chemin-Taché.

— Chiale pas parce que je te retrousse la jupe et j'te donne la volée.

— R'commence pas ça ! Je me laisserai pus faire. Tu me l'as assez donnée, la volée, pis devant les enfants par-dessus le marché.

— Une sans-génie comme toé, j'avais ben raison.

— T'avais pas raison. J'ai fini par comprendre pourquoi tu me donnais la volée. C'est seulement quand tu voyais que les fesses me bleuissaient que tu pouvais bander. Il fallait que tu me fasses souffrir pour pouvoir te contenter. Si j'avais su ça avant de me marier...

— Tu me trouvais beau, hein !

— Et j'ai découvert un cochon.

— Tu veux absolument avoir la volée ? Tu pourras dire que c'est d'ta faute !

Le vieux Marcellin s'est jeté sur Josephte pour retrousser ses jupes et recommencer son petit manège. Josephte criait et le frappait à la figure. Il s'est mis en colère. J'ai alors eu pitié d'eux. Je leur ai dit de s'en aller, que la scène était finie. Ils se sont arrêtés et, tout penauds, ont repris le chemin du bois. Ils ont disparu derrière les arbres. Je suis rentrée à la maison toute pensive. Est-ce que vraiment le père Marcellin avait fait souffrir sa femme de cette façon toute sa vie ? J'en étais presque sûre.

Quelques jours plus tard, toujours du haut de mon trône, je me suis recueillie et j'ai commandé à Auguste

Malenfant de faire son entrée. Lui aussi avait une petite terre de rien, mais la famille vivait assez bien, grâce au bureau de poste qu'ils tenaient. Il est arrivé sur ma scène tout éberlué. Il m'a soudain reconnue. Je lui ai dit :

— Auguste, qui veux-tu voir ? Ta femme ?

— Pantoute, pantoute. Pas elle. Cinquante-sept ans avec elle, c'est assez. Si j'ai eu seulement quatre enfants, c'est parce qu'elle aimait pas ça. Dire qu'elle était si belle quand je l'ai mariée. Ç'a pris deux mois avant que je peuve la déviarger. Et y a foulu que le curé s'en mêle. Autrement, j'aurais jamais pu prendre une botte. Si au moins j'avais pu coucher avec d'autres femmes ! Où les trouver quand on est trop pauvre pour se payer un voyage à Québec ?

— Veux-tu voir tes trois garçons ? Tu te rappelles comme ils étaient beaux et forts ?

— Oui, pour ça, ils étaient beaux. Ce que tu sais pas, Carmélia, c'est que quand ils sont devenus des hommes, ils m'ont fait ben souffrir. Y voulaient pas m'écouter pis si j'insistais, y m'battaient. Ça a commencé par une tape dans la figure. Un jour, à l'autre bout de la terre, je me suis fâché contre le Raymond. Non ! j'veux pus penser à ça ! Quand y m'a laissé pour reprendre le chemin de la maison, j'pensais que j'allais mourir. Au moment où je suis rentré, un peu plus tard, les trois écœurants se sont mis à rire de moé devant ma femme et Jeannine. Je suis allé me coucher en pleurant. Non ! j'veux pas les voir. Et j'veux pas savoir où y sont ! Mais j'voudrais ben voir Jeannine. C'est la seule qui m'a aimé un peu.

Comme par hasard, Jeannine, une femme dans la cinquantaine mais bien conservée, est apparue sur la scène. Et j'ai vu ces deux-là s'étreindre et s'embrasser comme des amoureux. On aurait dit qu'ils reprenaient le temps perdu. J'ai fermé les yeux et j'ai dit tout bas : « Continuez à être heureux. » Quand je les ai rouverts, ils n'étaient plus là.

❏

Je ne m'en tiens pas au Chemin-Taché quand je
m'installe sur mon rocher. Un jour, je me retrouve dans la
grande ligne-sud, un autre, au Canton ou à Raudot. En
m'en tenant au village de Saint-Amable, je ressuscite bien
des histoires. À ma grande joie d'ailleurs. Si je rappelle
surtout des figures du Chemin-Taché, c'est que je voudrais
te faire mieux apprécier la vie de gens que tu as connus et
oubliés. On vit au milieu des gens, on s'imagine qu'on les
connaît et, tout à coup, on se rend compte que c'est faux.
Par curiosité, j'ai voulu ramener Émile sur la scène de mon
théâtre improvisé, l'été dernier. Pendant quelques années,
par pudeur, je n'avais pas osé l'inviter à se présenter devant
moi. N'y tenant plus, ce jour-là, je me suis recueillie longtemps et, finalement, j'ai dit : « Émile, c'est ton tour. Entre. »
J'ai cru quelques instants que je n'avais plus aucun
pouvoir. Personne n'arrivait. Je n'entendais que le bruissement des feuilles au-dessus de moi. J'ai eu envie de crier le
nom d'Émile. Avant que je m'y résigne, j'ai vu mon mari
sortir des arbres, tout frais et beau, le dos droit. On n'aurait
même pas dit qu'il n'y voyait que d'un œil. À ma grande
surprise, il n'était pas seul. Il amenait avec lui Yvonne, la
femme d'Alphonse Ouellet, notre voisin et le vôtre. Ils se
tenaient par la main. Yvonne portait une belle robe d'or-
gandi et ses seins vibraient sous le tissu. Cette scène m'a
tellement remuée que je suis restée bouche bée. Ils étaient
pourtant bien conscients de ma présence. Ils n'avaient pas
l'air de savoir quoi dire, quoi faire. Finalement, Émile s'est
tourné vers moi :

— Carmélia, je te demande pardon ! Pourquoi est-ce
que je te l'aurais dit ?

— Tu n'as pas à me demander pardon, Émile. Et tu
n'avais pas à me le dire non plus.

— Tu nous en veux?

. — Pourquoi vous en voudrais-je? Dites-moi, vous êtes-vous vraiment aimés?

— Ça se voit pas?

— Yvonne, tu as vraiment aimé Émile? Et ton mari?

— J'avais besoin des deux.

— As-tu vraiment aimé Émile?

— Je l'aime encore.

— Et toi, Émile? Pourquoi ne m'as-tu jamais rien dit?

— Et toi, m'as-tu jamais avoué que tu étais amoureuse de Michel?

— Tu le savais?

— Mais ça se voyait! Et Michel le savait aussi. De ton côté comme du mien, nous avons fait ce qu'il fallait faire : nous avons gardé le silence.

— Et moi, tu m'aimais?

— Je t'ai aimée autant que j'ai pu. Quel mal y a-t-il à aimer un peu plus et ailleurs que chez soi?

— Je crois qu'à partir de maintenant je vais pouvoir recommencer à t'aimer.

— Viens nous rejoindre, Carmélia!

— Ce n'est pas encore le temps, Émile. Je n'ai pas encore épuisé toutes les joies de la terre. Quand ce sera fait, je partirai. Plus tard.

Je fermai les yeux. J'entendais continuellement en moi ce «plus tard» qui semblait frapper tous les arbres du bocage. Je suis restée longtemps sur mon rocher à songer, resonger à ce que je venais d'entendre. On aurait dit que j'avais des papillons dans le ventre, l'estomac. Je n'étais pas triste. Non. J'étais heureuse d'apprendre qu'Émile s'était taillé un morceau de bonheur de plus, à même sa petite vie de menuisier. Il avait bien raison. J'aurais dû, moi aussi, trouver le tour de rejoindre Michel. J'ai eu alors le désir de le ramener devant moi avec sa femme. Je n'ai pas

osé. Un jour, je le ferai pourtant. Je ne suis pas encore prête
à prendre part à ce grand jeu. Je voudrais tellement réussir
cette scène. Je voudrais tellement ne pas être déçue de
Michel! En fait, ce que je crains avant tout, c'est d'apprendre que Michel ne m'a pas aimée. Si c'était vrai, je crois
que je le torturerais pendant des heures, des jours, je
l'obligerais à faire l'amour devant moi avec sa boulotte de
femme. Je me vengerais. Mais quelle bénédiction ce serait
s'il m'avouait que lui aussi m'aimait! J'en mourrais sur
place. Je me prépare donc à jouer, d'ici quelques années, la
grande scène de mon départ. Et je ne regretterai rien si c'est
Michel qui m'emporte de l'autre côté des ténèbres. Comment se fait-il qu'après tant d'années cet amour me fasse
trembler de joie? Qui pourra jamais comprendre?

❏

J'ai été témoin, l'été dernier, d'une scène presque
inimaginable. M'est venue l'idée, tout à coup, de faire
revenir sur mon théâtre les trois sœurs, les trois vieilles
filles qui vivaient à Saint-Amable, dans cette grande maison qu'elles avaient achetée en y mettant toutes leurs
économies. Tu te souviens d'elles et de leur neveu Jean-
Eudes. Trois filles laides et minces qui n'avaient jamais
trouvé mari. Ernestine faisait de la couture. Joséphine
s'occupait du travail de la maison et du jardin. Marcelline
enseignait aux tout-petits à l'école du village. Pour combler
la place laissée vide dans leur lit, elles donnaient dans la
dévotion. À la messe, tous les matins. À la prière du soir, à
l'église, tous les jours. Elles décoraient les autels de l'église
avec les fleurs de leur jardin. Ainsi, elles pouvaient vieillir
tranquillement avec l'impression qu'elles étaient agréables
à Dieu. Elles avaient recueilli leur neveu Jean-Eudes au
moment où sa mère était morte. Elles s'étaient mis dans la

tête de le faire éduquer et d'en faire un prêtre. Tout allait
bien. Après le cours classique, Jean-Eudes est entré au
Grand Séminaire. Il en était à sa troisième année, je pense,
quand le drame est arrivé, le 15 août de cette année-là.
Comprends : Jean-Eudes, c'était l'homme qu'elles ne pouvaient avoir dans leur lit, c'était le grand amour de leur vie.
Et voilà que, lors d'un pique-nique avec ses confrères, il se
noie. Le jour de l'Assomption, par-dessus le marché.

Je ne pensais plus à cette histoire quand j'ai commandé
à Ernestine, Joséphine et Marcelline de sortir de leur
retraite. Elles sont arrivées l'une après l'autre, dans de
grandes robes noires. Elles ont fait une sorte de cercle et se
sont agenouillées. Elles avaient pourtant assez prié dans
leur vie pour s'en dispenser maintenant. Je ne comprenais
pas. Elles sont encore plus folles que je ne le croyais, me
disais-je. Folles, évidemment, elles ne l'avaient jamais été.
C'est le destin qui leur avait fait la vie dure. Elles avaient
essayé de trouver une façon de pouvoir continuer à vivre.
Elles étaient donc agenouillées. Pendant quelques instants,
ce fut le silence. Puis, à l'unisson, elles se sont mises à crier :

— Rendez-le-nous ! Rendez-le-nous ! Vous n'avez pas
le droit de nous l'enlever. Vous n'avez pas le droit ! Vous
n'avez pas le droit !

Est apparu soudain au milieu du cercle qu'elles for-
maient le cercueil où Jean-Eudes ensoutané reposait, les
mains jointes emprisonnées dans son chapelet. Elles conti-
nuaient à crier :

— Rendez-le-nous ! Rendez-le-nous ! On vous a tout
donné ! Et vous nous faites une cochonnerie pareille !

J'entendis une voix venant de nulle part dire :

— Comment osez-vous ?

Elles reprirent en chœur :

— Parfaitement, une cochonnerie, une saloperie ! Une
cochonnerie ! Une saloperie ! Il était notre joie, il était notre

espoir, il était notre seul bonheur. Nous n'avons vécu que pour lui, que pour vous le donner, en vous le consacrant. Ce n'était pas assez! Rendez-le-nous! Rendez-le-nous!

Elles attendaient en pleurant que le miracle se produise. Le miracle ne s'est pas produit. Au même moment, de grands oiseaux noirs se sont mis à voler au-dessus d'elles. Leurs ailes immenses frôlaient leurs têtes. Elles se sont relevées, sont reparties bien dignes dans leurs grandes robes noires mais, avant de disparaître, elles ont crié à l'unisson:

— Maudit soient le monde et toute la terre! Et maudits soient les oiseaux de malheur qui nous grugent jusqu'aux entrailles. Qu'ils soient anéantis! Anéantis! Anéantis! Anéantis!

Après une séance pareille, j'ai été deux mois, je crois, sans converser avec mes morts. J'étais tellement ébranlée par les actions de ce Dieu vengeur que je ne savais plus vers qui, vers quoi me tourner. Pourquoi Dieu créerait-il des créatures pour le seul plaisir de les voir souffrir? Il leur défend l'amour, il leur offre des compensations et, au moment où les compensations vont se changer en joie, en presque bonheur, il les frappe au bas-ventre et se met à rire dans sa grande barbe. C'est ce même Dieu vengeur qu'on appelle miséricordieux? Non, le Dieu en qui je crois n'est certainement pas cet imbécile, vicieux et méchant. Plus je vieillis, plus je me demande si le Dieu que j'imagine existe vraiment. Mais à quoi servent tous nos raisonnements, puisque personne n'a aucune certitude à ce sujet?

Ces trois vieilles filles, je les ai vues mourir l'une après l'autre, dans la quarantaine ou la cinquantaine, et chaque fois que l'une s'en allait, je ressentais une sorte de joie. Je n'ai jamais accepté qu'on souffre inutilement. Et je sais que la vie de ces pauvres femmes a été une souffrance continuelle.

❏

Le calme revenant, je suis retournée au Bois de la Côte. Pour me reposer, entendre le bruit des feuilles dans les arbres, écouter l'été chanter à travers le faîte de mon âge. Le bruissement de la vie chez les êtres et dans les choses est toujours pour moi un sujet d'étonnement. Je savais pourtant que je reviendrais à mes coutumes de sorcière. J'allais laisser mon rocher, ce soir-là, pour rentrer à la maison, quand j'ai eu l'idée de commander à ton père, Félicien Martel, de faire son entrée. J'ai eu la surprise de ma vie. Ce n'est pas ton père qui est apparu mais une harde de chevaux sauvages, tout blancs, sauf un, qui tournaient en rond, montaient les uns sur les autres et hennissaient comme s'ils avaient été poursuivis par des dompteurs infatigables. Le spectacle était beau et terrifiant à la fois. Imagine un peu toutes ces crinières folles qui tournaient dans le vent, tous ces corps magnifiques et luisants qui se frôlaient, tous ces naseaux frémissants qui se mordaient de plaisir ! Je ne savais plus quoi faire. J'ai crié : « Félicien ! Félicien ! Où es-tu ? » Tous les chevaux se sont arrêtés, ont formé un demi-cercle parfait, se sont agenouillés et ont baissé la tête. À ce moment-là, Félicien est entré tout rayonnant, la tête haute et le sourire narquois. La tête des chevaux a presque touché le sol. Il a enfourché le cheval noir qui s'est remis sur ses jambes. Tous les autres ont suivi son exemple. Le spectacle a recommencé. Une mêlée effroyable, comme je n'en ai jamais vu. Félicien était incontestablement le maître de la harde. Il ne criait pas. Il émettait des sons étranges. Les chevaux comprenaient. À certains moments, ils s'arrêtaient net. Puis, un ordre sous forme de cri aigu. C'était de nouveau la chevauchée infernale qui se poursuivait. Folle de peur, j'ai finalement crié : « Assez, Félicien ! Assez ! Je n'en peux plus ! »

Le cheval noir s'est retourné vers moi, m'a saluée, et dans un piaffement indescriptible, il est reparti, suivi de tous les chevaux blancs qui hennissaient de joie.

Quand je suis revenue à la maison, ce soir-là, j'aurais voulu t'écrire pour te raconter cette scène. J'aurais voulu t'avoir tout près de moi pour en discuter. Plus j'essaie de trouver des explications à ce phénomène, plus je m'embrouille. Pourquoi m'est-il apparu au milieu d'une harde de chevaux sauvages qui, par ailleurs, semblaient si dociles à ses commandements? Je sais bien qu'avant l'arrivée des tracteurs les gens du Chemin-Taché ont travaillé la terre à l'aide de chevaux. Crois-moi cependant, les chevaux d'autrefois n'avaient rien à voir avec ceux que j'ai vus ce jour-là. Est-ce que, par hasard, ton père n'aurait pas un peu parlé au diable? Et pourquoi est-ce que je parle du diable, personnage auquel je n'ai jamais cru? Je me pose encore des questions. Est-ce que le diable, ce qu'on appelle communément le diable, ne serait pas à la fin ce qui donne vie à toute chose dans le monde? N'aurait-on pas inventé cette histoire épouvantable pour mettre du sang dans les veines de la terre, pour faire en sorte que la sève gonfle toutes les plantes, pénètre tous les êtres humains? Ton père, tu l'admettras, n'était pas facile d'accès. Il avait de belles sautes d'humeur. Était-il malheureux? Difficile à dire. Je ne sais pourquoi, la scène des chevaux sauvages semble me dire qu'il a rêvé toute sa vie d'être autre chose que ce qu'il était. Essaie d'expliquer le cheminement de cette pensée. J'en suis incapable. Je suis d'autant plus sûre de ce que j'avance que, quelques jours après cette vision, j'ai fait un rêve où j'ai vu ton père se promener à motocyclette, du Chemin-Taché à Rivière-du-Loup. Je le voyais dévaler les pentes, remonter les collines à une vitesse vertigineuse. En repassant ici, il m'a vue sur la galerie. La moto a alors redémarré dans un bruit infernal et un nuage de poussière.

Est-ce que cela est relié de près aux chevaux sauvages ? Qu'en penses-tu ?

❏

Si tu revenais nous voir de temps en temps, je pourrais te poser mes questions. Mais tu n'es plus d'ici. Tu ne nous appartiens plus. Nous t'avons envoyé, comme tant d'autres de nos fils, à travers tout le pays pour briser la crête des montagnes, pour agrandir l'horizon, pour changer le reflet des lumières du levant et du couchant, pour mettre des couleurs dans tout l'espace. Tu reviens peut-être de temps en temps, tu stationnes ta voiture en bordure de la route et tu te demandes pourquoi on a fait disparaître tous ces peupliers que ta mère avait fait planter. Plus de peupliers ! Plus de lilas ! Mais nos fils et nos filles sont partout, qui vivent d'une vie nouvelle, du Chemin-Taché à Québec, de Rivière-du-Loup à la baie James. Nous sommes ceux du commencement du monde. Nous ne voulons pas voir la vallée de Josaphat. Nous voulons créer la vallée de Jonathan, la vallée du commencement du monde.

Cette idée me vient du vieil Origène que tu as bien connu. Il est mort, il devait avoir à peu près soixante-dix ans, d'ulcères d'estomac. Dans les derniers temps, il était devenu un peu braque et il paraît qu'il aurait raconté à quelques-uns de ses proches que la vallée de Jonathan existait bel et bien, qu'elle se trouvait tout au bout de la terre de la Fabrique, à la rencontre des terres du Chemin-Taché qui sont coupées dans l'autre sens. Il disait que c'était la vallée du commencement du monde. Selon lui, il se passait là, à certains moments, des choses étranges. Naturellement, personne n'a ajouté foi à ses dires et personne n'est parti à la recherche de cette vallée de Jonathan.

N'est-ce pas une belle idée : opposer la vallée de Jonathan à la vallée de Josaphat ? Cela me permet de délirer, à mon tour, et de croire que je vais peut-être retrouver ma jeunesse. Vaine illusion ! Illusion qui permet de continuer à vivre sans trop se poser de questions. Je suis trop près de la terre pour m'illusionner longtemps. J'ai le Chemin-Taché en moi comme une femme enceinte, et c'est la raison pour laquelle je me rends au Bois de la Côte si souvent pendant la belle saison. C'est là que je redonne naissance à ceux qui ont bâti ce pays, ce pays qui n'existe plus. Je pourrais rappeler encore bien des scènes dramatiques et comiques dont j'ai été témoin sur mon rocher. Est-ce que je ne cours pas le risque de t'ennuyer avec toutes les petites et grandes misères de ces gens qui me reviennent dans mes rêves en visions affolantes ?

Moi qui t'écris pour te parler de Marie-Ève, tu es sans doute surpris que je ne l'aie pas, du haut de mon rocher, rappelée à la vie comme tous les autres dont je viens de te parler. Je suis obligée de t'avouer que mon pouvoir de sorcière a ses limites. C'est évidemment elle que j'aurais voulu voir sur la scène de mon théâtre. Quand j'ai compris que je pouvais aussi facilement commander aux morts de ressusciter, je me suis rendue au Bois de la Côte, une fin d'après-midi, bien décidée à jouer le tout pour le tout. Rien n'a fonctionné. J'avais beau me recueillir tant et tant avant de lui donner l'ordre de faire son entrée, chaque fois que je rouvrais les yeux, la scène était déserte. Bien plus, on aurait dit à ces moments-là que la plus légère brise disparaissait, que les arbres retenaient leur souffle. C'était le silence complet. Un silence au milieu duquel j'entendais une sorte de gémissement qui semblait sortir de la terre.

À plusieurs reprises, après cet échec, je suis revenue à la charge, en prenant, intérieurement, toutes les précautions qu'il fallait. Chaque fois, le silence m'a répondu.

Marie-Ève refusait mes invitations. Quand, plus tard, je revenais à la maison, le cœur noyé de peine, j'entendais des pas derrière moi. Je me retournais. Il n'y avait personne. Quelques minutes plus tard, j'avais l'impression qu'un personnage invisible passait son bras autour de mon cou et me donnait du courage. Il ne me quittait qu'au pied de l'escalier. J'aurais dû alors me sentir plus légère. C'était le contraire qui se produisait. Je me promenais alors pendant des heures d'une pièce à l'autre, en proie à toutes sortes de délires. Je savais cependant que Marie-Ève était toujours vivante, qu'elle prenait la peine de venir me reconduire chez moi pour se faire pardonner de refuser mes invitations.

Comment te parler de Marie-Ève alors que je n'ai pas encore pu la réenfanter? Pourtant, certains jours, il me semble que mon ventre est énorme et je me sens tout en joie à l'idée que je vais redonner vie à une autre enfant que j'appellerai Marie-Ève.

Je suis en train de tenter le diable, mais c'est un personnage que je mettrais bien vite à ma main s'il s'avisait de contrecarrer mes désirs. Qui sait, en l'invoquant, s'il ne viendrait pas à ma rescousse, en ce moment précis où je souhaite que quelqu'un guide ma main sur cette feuille où je ne vois presque plus mes mots?

III

Marie-Ève ! Marie-Ève !

J'ai la tête qui éclate !
Tout le Chemin-Taché est en train de passer au feu.
C'est une flambée comme je n'en ai jamais vu ! On dirait
que des épées multicolores courent partout dans les
champs, ravageant tout sur leur passage. Elles pénètrent
dans les maisons, les granges, les hangars et, en quelques
secondes, c'est l'éruption verticale, c'est la destruction
complète de toute vie dans des crépitements effroyables.

Je tremble de peur et de tristesse devant tant de déso-
lation. Mais cela doit être un rêve, un cauchemar, car je suis
toujours là, rivée à ma fenêtre, pleurant sur nos ruines. Le
feu m'aurait-il épargnée ? Ne restera-t-il du Chemin-Taché,
à la fin, que moi, Carmélia, le fantôme vivant, pour dire au
monde que le Chemin-Taché a existé, que la vie en sourdait
de partout ?

Les flammes se sont éteintes peu à peu avant l'aube,
mais ce que je viens de voir n'est pas plus réjouissant que
le feu dévastateur. La route s'est affaissée de je ne sais plus
combien de pieds et j'ai vu venir de l'est une eau houleuse
et grise qui s'est emparée du lit qu'on venait de lui offrir. Je
me demande si notre maison qui est si près de la route ne

sera pas emportée par ce torrent qui vient je ne sais d'où et qui fera certainement des ravages dans toute la région. Je suis rassurée. Le torrent s'apaise, l'eau baisse à vue d'œil, et ce qui était tout à l'heure un éclatement turbulent n'est plus qu'un mince courant qui s'en va tranquillement vers l'est.

Que deviendrons-nous? C'est l'effondrement complet. Et comment remettrons-nous la route à sa place? Je me promène sur ma galerie pour voir de plus près cette eau grise qui murmure une sorte de refrain étrange et que vois-je? Un défilé inimaginable d'êtres difformes. Tous mes morts sont là, pataugeant dans cette eau mystérieuse, le dos rond, l'air fatigué, nus comme des vers. Ils s'en vont, se tenant par la main, le regard vide, se tirant les uns les autres comme des esclaves qui n'en peuvent plus. C'est Odilon Roy qui mène la marche. Sa femme suit. Voici Auguste Malenfant que sa femme pousse dans le dos. Alphonse Ouellet qui danse au son de son violon. Sa femme qui pleure et rit à la fois. Les deux vieux Gendron qui marchent en trébuchant. Michel Ouellet, mon grand amour, s'avance comme un automate, en souriant béatement. Gérald Desjardins et sa femme suivis de leurs cinq enfants, morts à la naissance ou presque. Ils font signe aux enfants de se presser, mais ceux-ci ont l'air épuisés. Et d'autres et d'autres et d'autres! Pour clore la marche, Jean-Eudes, fils de Joséphine, d'Ernestine et de Marcelline, habillé d'ornements sacerdotaux, faisant semblant de dire la messe. Il bénit le troupeau et lui crie des mots que l'on n'entend pas. Étrange que lui seul soit habillé! Quel contraste avec tous les autres dont les corps flasques crient pitié et vengeance! On n'entend aucune parole, mais tous ces corps parlent. Ils ont vécu dans la misère et sont morts dans la misère. «Nous avons vécu et nous sommes morts pour rien!» semblent-ils tous dire. «Nous avons été condamnés d'avance!» Devant pareille détresse, je me suis avancée au bord de ma galerie. Je voulais leur faire un petit discours à ma manière, mais cela a tourné court. «Arrêtez-vous!» criai-je. Ils m'ont obéi sur-le-champ. «Qu'est-ce que vous faites de vos enfants, de vos petits-enfants et de vos arrière-petits-enfants qui sont partis sur les routes vers la Côte-Nord, se sont fixés un peu partout dans d'autres pays pour recommencer d'autres Chemin-Taché? Que faites-vous de vos fils et de vos filles qui ont pris racine à Chibougamau, à Sept-Îles, à Grand-Remous, au Nouveau-Brunswick, à Montréal? Que faites-vous de vos fils et de vos filles qui sont restés fidèles au Chemin-Taché et qui continuent, en dépit de la télévision et du téléphone, à vous succéder sans se poser de questions? Que faites-vous des fils et des filles de ces sédentaires qui enverront leurs fils et leurs filles jusqu'à la baie James pour témoigner de la vie qu'ils vous doivent? Pourquoi ces airs d'affliction? Vous êtes en train de jeter votre semence dans tous les coins du pays habitable, vous êtes en train de couvrir la terre de votre sperme fécondant! Cessez de pleurer et réjouissez-vous dans vos enfants!»

Alors, ils se sont tous transformés en quelques secondes. Ils ont relevé les épaules. Par toutes sortes de mouvements drôles à voir, ils ont remis de la vie dans leurs corps décharnés qui se sont mis à grandir sous mes yeux. Ils sont tous devenus beaux, grands, forts et agiles. Et ils se désiraient tant que j'ai dû fermer les yeux. La vue de Joséphine, d'Ernestine et de Marcelline embrassant, léchant, suçant toutes les parcelles du corps de leur protégé, Jean-Eudes! Michel Ouellet se pavanant comme un roi en cherchant l'objet de son amour! C'en était trop pour ma pauvre tête. J'ai chassé toutes ces visions et, quand j'ai finalement rouvert les yeux, j'ai vu une nuée d'enfants qui se chamaillaient dans la cour de l'école,

d'autres qui jouaient à *La tour, prends garde* et je me suis
mise à rire de les voir aller dans tous les sens. Il y en avait
tant que je me demandais d'où ils sortaient. La cloche a
sonné et ils se sont tous mis en rangs. Les garçons d'un
côté, les filles de l'autre. Je les ai regardés rentrer à l'école.
La procession a duré des heures. Nu-pieds, en « rubbers »,
dans leurs robes ou leurs chemises rapiécées. C'était une
orgie de vie et de couleurs ! Au moment où la dernière fille
rentrait, j'ai reconnu Marie-Ève. Puis, tout a basculé, et
c'est cette journée splendide de juin qui est entrée en moi
comme un glaive, toutes ces voitures entourant la maison,
tous ces gens rassemblés en l'honneur d'elle, alors qu'au
dehors les insectes faisaient des trous dans la chaleur du
jour et dans l'éclat de la lumière. Jamais je n'oublierai cette
vision douloureuse de la beauté des choses et du désespoir
de l'âme !

❑

Par quel miracle pourrai-je enfin la retrouver, alors que
je suis entourée de tant de morts, de tant de vivants qui
s'agitent, m'assaillent de toutes parts ? Comment en arriver
à ce calme, cette quiétude où je pourrai trouver les mots
pour te la présenter, la faire revivre ? Tu crois la connaître,
connaître son histoire qui se termine en telle année, alors
que tu devais avoir onze ans, elle, dix-neuf ?

❑

Me revoici enceinte de tous ces bruits journaliers qui
donnent vie au Chemin-Taché, de toutes ces plantes qui
poussent dans les jardins, de tous ces lilas qui fleurissent
en juin. Je passe ma main sur mon ventre, palpant la vie, ce
prolongement de moi.

J'avais vaqué à mes occupations quotidiennes tout le jour. Après le souper, j'ai senti que mon ventre allait s'ouvrir et que cette enfant que j'attendais depuis tant de mois et que j'avais appelée Marie-Ève allait voir le jour. Je redoutais les douleurs auxquelles j'avais dû me soumettre pour avoir les quatre autres qui l'avaient précédée. Mais j'avais, jour après jour, mis tant d'allégresse à sentir cette enfant prendre sa place en moi que je n'avais pas peur de l'accouchement.

J'ai dit à Émile d'aller chercher le médecin à Saint-Hubert. Je suis ensuite montée à ma chambre et je me suis étendue sur mon lit. Le médecin est arrivé quelques heures plus tard. Il n'a eu qu'à cueillir l'enfant qui bougeait entre mes jambes. Quand on me l'a présentée, le lendemain, toute rose et frémissante de vie, j'ai pleuré et j'ai ri en même temps. On n'a pas eu besoin de me dire que c'était une fille, je le savais. Je l'ai enfantée dans la joie, une joie toute ronde et pleine parce que, la dernière à sortir de mon ventre, pensais-je, elle devait illuminer le reste de mes jours.

Elle n'a pas été la dernière, tu le sais. Josée est arrivée, contre toute attente, six ans plus tard. Je me suis fait une raison et je me suis dit que cette sorte d'accident, à quarante-trois ans, ne pouvait que nous porter chance. Je n'ai pas eu tort de le croire parce que Josée est encore en bas, avec sa famille, compagne infatigable de mes vieux jours, la plus grande amie que j'aie eue dans ma vie. Je n'ai jamais été très communicative; du moins, c'est ce que tu penses, comme d'autres, et tu n'as pas tort. J'ai toujours été avare de paroles devant les gens que j'aimais. Je préférais remercier par un sourire, encourager par un sourire, quelquefois un geste bourru. Ainsi, j'ai pu créer, entre mes enfants et moi, une sorte d'entente, une sorte de complicité que les gens d'ici, en général, ne pouvaient deviner. Ces enfants, je les ai tous aimés, sans m'en rendre compte et sans me poser de questions. Mais Marie-Ève a toujours été mon enfant bien-aimée. Je suis coupable de l'avoir aimée plus que les autres. C'est une culpabilité dont je n'ai pas honte. Comment mes autres enfants auraient-ils pu me reprocher de l'aimer plus qu'eux, alors qu'eux-mêmes lui vouaient un amour démesuré? Ils étaient mes complices et n'en avaient, eux non plus, aucun remords.

❏

Chaque fois que je pense à elle, j'ai ce soleil de juin dans la vue, cette chaleur intense qui bouleverse le jour. Tous ces gens portant de beaux costumes, toutes ces femmes souriantes! Je m'entends pleurer dans toute la splendeur de la lumière, alors que je n'ai pas même versé une larme devant tant de tristesse. On a dû croire que j'étais faite de glace. Comme l'apparence est trompeuse quelquefois!

❏

Au moment où tu as commencé l'école, Marie-Ève n'y allait déjà plus. Elle avait du talent, elle apprenait facilement, comme mes autres enfants d'ailleurs, mais que pouvais-je faire pour elle? Les institutrices d'alors ne pouvaient faire plus que la 4e année. Tu as été le premier à monter en 5e année, puis en 6e et en 7e, quand nous est venue cette institutrice avec un diplôme d'école normale. En un sens, tu as eu de la chance. Tu es arrivé au bon moment. Même si nous étions assez à l'aise, je ne pouvais me permettre de placer Marie-Ève en pension à Rivière-du-Loup ou à Rimouski pour qu'elle continue ses études. Elle est donc restée avec nous, comme toutes les filles de son âge. J'ai cessé de m'imaginer qu'elle deviendrait la reine de Hongrie. Je l'ai simplement initiée à son rôle de maîtresse de maison, espérant qu'un jour elle allait rencontrer une sorte de prince charmant, qu'il fût cultivateur ou petit commerçant. J'espérais quand même que ce ne serait pas un cultivateur. Je n'aime pas particulièrement les odeurs d'étable, je te l'ai dit. Mais où étaient les fils de grande famille, les fils de commerçants dans une paroisse comme Saint-Amable?

L'horizon me semblait complètement barré quand je me suis rendu compte que, au contraire, il s'agrandissait à merveille tous les samedis soir. Tu te souviens des danses qui s'organisaient dans la région à ce moment-là? Il y en avait dans le Canton, dans la grande ligne-sud, mais il y en avait aussi à Saint-Hubert, à Rivière-du-Loup et dans toutes les paroisses environnantes. La danse était défendue dans le diocèse de Rimouski, alors qu'elle ne l'était pas dans celui de Québec. Rivière-du-Loup appartenait à Québec. On y dansait donc avec entrain. Malgré les défenses, en fait, on dansait partout. Et le curé Martel — eh oui! il s'appelait Martel comme ton père, comme toi! — faisait alors la joie de ses paroissiens en prêchant contre les danses et contre la bouteille. Je n'ai jamais entendu ses sermons, mais j'ai quand même appris qu'il passait des heures à appeler la vengeance divine sur tous ces êtres dévoyés qui s'amusaient comme des païens jusqu'aux petites heures du matin; sur ces démons vivants qui se soûlaient comme des cochons et qui brûlaient vifs dans l'incendie de leur demeure, comme c'est arrivé à Walter Turcotte dont la maison se trouvait juste à côté de l'église. Avant de l'enterrer, un lundi matin, il l'avait dénoncé du haut de la chaire, le dimanche précédent, en affirmant que Dieu s'était vengé en en faisant une torche vivante.

Te dirai-je que les menaces du curé Martel ne m'ont jamais impressionnée! J'en étais déjà arrivée à une entente avec ce Dieu vengeur des chrétiens et mon Dieu à moi. J'avais encouragé mes aînés à se rendre aux danses du samedi soir, que ce soit dans le fin fond du Canton de Saint-Amable ou dans l'arrière-rang de Cacouna ou encore dans un hôtel huppé de Rivière-du-Loup. J'étais heureuse de les voir partir et j'étais heureuse de les voir revenir à deux ou trois heures du matin. Je voulais qu'ils s'amusent. Je voulais qu'ils rencontrent des gens. Je voulais qu'ils rient. Je voulais qu'ils chantent leur joie. J'ai tant dansé dans ma jeunesse, avant de prendre Émile pour époux, que je savais que ces jeunes avaient besoin de se dégourdir les jambes pour se dégourdir l'esprit.

Marie-Ève, je le sentais, avait hâte d'assister aux danses du samedi soir. Déjà, à quinze ans, elle y faisait allusion. À seize ans, ses frères et ses sœurs voulaient l'amener avec eux. Quand elle a eu dix-sept ans, ils m'ont annoncé qu'elle allait les accompagner à une danse chez Ghislain Malenfant, au Canton de Saint-Amable. J'ai souri comme d'habitude. Je l'ai vue partir ce samedi soir, belle à ravir dans une robe que je lui avais achetée quelques semaines auparavant, avec le désir secret qu'elle s'en serve pour éblouir les garçons.

J'ai dû passer, à cette époque-là, pour une mère déna-turée, puisque tout le monde savait que j'encourageais mes enfants à courir les danses. Mes enfants n'étaient pas les seuls, au Chemin-Taché, à le faire, mais les autres allaient danser sans la permission des parents. Te dire le plaisir que j'avais à voir mes garçons et mes filles se laver, se pom-ponner, se transformer complètement pour s'en aller en-suite tourner au son des musiques du temps, c'est difficile. J'avais l'impression de revivre ma jeunesse. Le lendemain matin, alors qu'ils revenaient de la messe et que je leur servais leur meilleur repas de la semaine, je me faisais raconter ce qui s'était passé, la veille. Je voulais savoir qui jouait du violon, qui jouait de l'accordéon, qui avait dansé la gigue simple, qui avait câlé les sets, en un mot, je voulais, de cette façon, participer un peu à cette joyeuserie. Le dimanche midi, des fois, on restait à table jusqu'à deux heures pour le seul plaisir de se raconter une fois, deux fois, trois fois les événements de la veille. J'ai vite compris que Marie-Ève était devenue très populaire. Elle ne s'en cachait d'ailleurs pas et me parlait de ses cavaliers comme si je les connaissais déjà. J'ai fini par en connaître quelques-uns qui se sont présentés chez nous certains soirs de semaine. Des garçons très ordinaires. Marie-Ève n'en était pas plus entichée que moi. Elle attendait, je le sais, que survienne celui qui lui ferait oublier tous les autres.

Ces belles retrouvailles du dimanche midi avaient quelquefois un petit côté triste. Je n'allais pas à la messe du dimanche. Mes enfants y allaient. C'était bien leur droit. Ils auraient voulu aller communier comme tout le monde mais, chaque fois qu'ils allaient à confesse, le curé commençait par leur demander s'ils avaient été à une danse. Sur leur réponse affirmative, le curé refermait son guichet, leur refusait l'absolution. J'ai fait tout ce que j'ai pu pour leur alléger la conscience. Le bon Dieu, leur disais-je, ne pouvait être aussi bête que le curé. Le bon Dieu n'avait jamais défendu à personne de s'amuser, de rire et de danser. La preuve, c'est que, de Rivière-du-Loup à Québec, les curés eux-mêmes assistaient aux danses et encourageaient leurs ouailles à s'amuser. J'ai toujours cru que j'avais plus d'influence sur eux que le curé, mais qui sait? Un jour, cependant, ils ont découvert une façon de déjouer ce curé en allant à confesse à Rivière-du-Loup. Là, ils n'étaient même pas obligés de s'accuser d'avoir dansé. Ils pouvaient donc aller communier comme tous les autres, ces dimanches-là. Le curé n'osait pas passer devant eux sans s'arrêter, mais il leur a fait savoir, dans un sermon, qu'il y

avait « des âmes viles qui s'approchaient de la sainte table »
et que le bon Dieu ne pourrait continuer à se laisser insulter
de la sorte. J'ai bien ri quand on m'a rapporté ces propos.

Puis, un jour, Marie-Ève est tombée amoureuse d'un
garçon de Trois-Pistoles. Elle l'avait rencontré à une danse
à Saint-Clément. Le jeune homme s'est tout de suite amené
ici le dimanche soir, après cette première soirée en sa
compagnie. Il m'a plu tout de suite. Vivant, primesautier, la
répartie heureuse, il avait l'art de mettre tout le monde en
joie. J'avouerai sans fausse honte que, pendant un certain
temps, j'ai été jalouse de ma fille. Ce Térence était si beau
que, seulement à le regarder, j'en avais des frissons par tout
le corps. Marie-Ève était tout aussi troublée que moi en sa
présence. J'ai réussi à cacher mes émotions et je me suis
sentie heureuse pour elle. Au moins, me disais-je, ce n'est
pas un cultivateur. En effet, c'était le fils d'un commerçant
de bois de Trois-Pistoles. Même s'il avait deux frères à la
maison, le père avait besoin des énergies de tous ses fils.

L'histoire d'amour s'annonçait merveilleuse. C'est du
moins ce que je pensais. Mais je suis en train de te raconter
des choses que tu connais aussi bien que moi. Tu as été
témoin de leurs fréquentations. Tu l'as vu arriver dans sa
Ford, le samedi soir, alors qu'il venait chercher Marie-Ève
pour aller danser quelque part. Tu l'as vu revenir le
dimanche soir. Nous passions tranquillement la veillée sur
la véranda.

L'hiver est venu. Les amoureux ne pouvaient se voir
très souvent. Térence louait une autoneige une fois par
mois et venait passer le dimanche avec nous. Pendant ce
temps, le chauffeur restait bien tranquillement assis près
de la porte. Vers minuit, une heure du matin, Térence était
prêt à partir. Il devait réveiller son chauffeur qui somnolait
depuis quelques heures déjà. Le printemps allait revenir et
la Ford ferait de nouveau son apparition au Chemin-Taché.

La Ford a, en effet, refait son apparition à la fin de mai. Nous devions faire des noces à la fin de l'été. Térence avait déjà acheté sa maison, pas très loin de chez lui, à Rivière-Trois-Pistoles, qu'on appelait Tobin à ce moment-là. Marie-Ève avait dix-neuf ans. Térence en avait vingt-deux. Je les voyais s'aimer, rien qu'à se regarder dans les yeux, et je me disais qu'elle, au moins, n'avait pas raté l'amour. Nous nous préparions à passer un bel été en prévision de cet événement.

❏

Ah! quels fleuves et quelles rivières sont en train de bouleverser ma pauvre tête! C'est l'inondation complète. Et le tumulte partout. J'entends des bruits de fin du monde. Je vois des éclairs qui sillonnent le ciel. Claude! Claude! Qu'est-ce qui se passe? Et tous mes morts qui m'entourent et qui dansent autour de moi comme des possédés! Tous mes morts et tous ces vivants, tous éleveurs d'enfants qui se démènent du soir au matin pour qu'il y ait du pain et de la viande sur la table. Je ne sais plus ce que je dis. C'est juin, c'est la lumière partout. La chaleur qui s'engouffre jusque sous nos vêtements. La maison est entourée de voitures. Les gens sont endimanchés. Ils marchent lentement et parlent rarement. Je les regarde dans les yeux. Ils détournent la vue. Les pommiers sont en fleurs. Les lilas aussi. Les enfants sortent de l'école. Ils crient leur joie parce que, dans quelques jours, ils seront en vacances et pourront courir tant qu'ils voudront dans les champs. Tant de lumière! Comment ferai-je pour en supporter la splendeur? Claude, viens à ma rescousse, il faut que je finisse cette lettre!

❏

La splendeur du jour, elle la portait en elle. L'ai-je déjà vue triste? Oui, une fois peut-être, alors que je l'avais battue parce qu'elle avait refusé de faire ses devoirs pour punir l'institutrice qui lui avait donné une mauvaise note le jour précédent. Elle s'est alors collée contre moi et s'est mise à pleurer silencieusement. Nous nous sommes réconciliées en écoutant les battements de nos cœurs. Elle incarnait la joie de vivre et la joie d'aimer. On aurait dit qu'elle ramassait des morceaux de joie tout au long des heures et qu'elle les dispersait dans l'air que nous respirions. Elle semait le bonheur sur son passage. À l'improviste, elle embrassait ses frères dans le cou. Elle cousait merveilleusement et confectionnait des chemisiers de toute beauté pour ses sœurs. Quand elles les essayaient devant elle, elle leur faisait croire qu'elles étaient plus belles que toutes les princesses du monde. À quinze ou seize ans, alors qu'elle était déjà devenue femme, elle restait toujours l'enfant qu'elle avait été. Elle n'avait aucune gêne à venir s'asseoir sur moi quand je me reposais dans ma grande chaise, après le souper, à me prendre par le cou, à me dire: «Berce-moi.» Il y avait longtemps que la petite, je veux dire Josée, avait cessé d'agir de la sorte. Quand je lui disais: «Mais, voyons, Marie-Ève, t'es pas raisonnable! Une fille de ton âge!» elle répondait: «À mon âge, on n'a plus le droit d'aimer ses parents?» Je ne savais que répondre. Après un moment, je l'obligeais à me laisser en m'inventant une course à faire. Elle allait rejoindre ses amies, chez les Roy. L'été, alors que les portes étaient ouvertes, j'entendais souvent son rire clair qui, de chez nos voisins, traversait la route pour revenir nous parler d'elle en son absence. Il m'arrive parfois, quand je regarde une émission de télévision, de fermer brusquement l'appareil pour me recueillir et revivre en esprit les meilleurs moments que nous avons passés ensemble. Hier soir, je l'ai revue enlever ce petit chapeau rose qu'elle avait porté pour aller à la messe, en disant qu'elle ne savait pas pourquoi elle portait un objet aussi ridicule.

— Moi, je n'ai pas besoin de chapeau, dit-elle. Et j'irai à l'église tête nue.

— Et que dira le curé ?

— Il me chassera comme une sorcière à travers les allées, mais je cours plus vite que lui et il finira bien par s'accrocher quelque part et perdre sa barrette.

Nous nous sommes mises à rire toutes les deux. Elle a tenu parole, elle n'a pas remis son chapeau ridicule. Pour empêcher le curé de la poursuivre à travers les allées, elle a accepté de se mettre un léger voile sur la tête, quand elle assistait aux offices. Je passe des heures parfois à feuilleter l'album de mes souvenirs et je suis toujours surprise de constater que les pages ne sont jamais pareilles. Je découvre toujours des images que j'avais complètement oubliées et qui, comme par hasard, remplissent les pages d'un nouvel album. C'est fascinant et c'est épuisant à la fois. Je suis une vieille folle, je ne cesse de vouloir ressusciter le passé, alors que je devrais bien plutôt presser mes petits-enfants sur mon cœur et être heureuse de les voir vivre. Mais je suis tout cela à la fois, Claude, je suis le passé, je suis le présent et je suis l'avenir. Et Marie-Ève, elle n'est ni du passé, ni du présent, ni de l'avenir, elle est, tout simplement.

❏

Un soir de fin avril, en rentrant d'une course, elle m'a dit qu'elle avait mal à la tête. Je lui ai offert des comprimés. Elle a refusé : « Je n'ai pas mal là, dit-elle, en se touchant le front, j'ai mal là ! » Elle mettait sa main derrière la tête. Elle s'est allongée sur le divan, dans la salle de séjour. Au souper, elle a refusé de manger. Elle a continué à se tourner, se retourner, en se plaignant doucement. Elle a dormi, cette nuit-là, plutôt bien, mais le lendemain, à la fin de l'après-midi, elle avait encore mal à la tête. C'est ce deuxième soir, si je me souviens bien, que ses crises ont commencé.

Il me semble que je l'entends encore, de sa chambre, m'appeler, vers dix heures ou onze heures. Je la trouve étendue sur le dos dans son lit. Elle presse son ventre de ses deux mains et finit par dire: « Non, non, y faut pas! Y faut pas! » Je mets ma main sur son front mais, au même moment, la transformation s'est opérée. Elle se met à rire comme une folle, elle se lève, s'habille en me tenant les propos les plus échevelés. Je lui demande où elle veut aller. Elle me répond que cela ne me regarde pas, qu'elle est assez grande pour savoir ce qu'elle fait. Je la suis dans l'escalier qui conduit à la salle de séjour. Elle fait tourner sa bourse devant ses frères et ses sœurs et demande à Martial de sortir la voiture. Celui-ci n'y comprend rien. Il veut savoir où elle veut aller.

— À Rivière-du-Loup, voyons! J'ai envie d'aller danser, moi!

— Un mercredi soir?

— Mais oui, un mercredi soir! Un mercredi soir, c'est aussi bon qu'un samedi soir!

— Moi, je travaille demain!

— Viens au moins me reconduire!

Nous avons tous essayé de la raisonner. Rien à faire. Devant le refus de Martial de la reconduire à Rivière-du-Loup, elle s'est mise à pleurer et à nous traiter de tous les noms.

— Tu n'as plus mal à la tête? a fini par lui dire Gervaise.

— Mal à la tête? J'ai jamais eu mal à la tête! J'ai envie d'aller danser!

Quand elle est remontée à sa chambre, noyée de larmes, elle tremblait comme une feuille et continuait à nous renier tous. Elle sommeillait quelques minutes, se réveillait, regardait autour d'elle et recommençait à injurier tout le monde. Quelle nuit nous avons passée, Émile et moi! Vers quatre heures, elle s'est mise à respirer plus doucement. Elle a fini par s'apaiser. Après un long soupir, elle nous a regardés et nous a demandé : « Qu'est-ce que vous faites ici ? »

Nous n'étions pas au bout de nos peines, puisque les crises se sont succédé, jour après jour, je devrais dire nuit après nuit. Même si les désirs de Marie-Ève, quand elle entrait en transe, étaient différents chaque fois, il reste que le scénario était à peu près toujours le même. La troisième fois que la crise s'est produite, le médecin de Saint-Hubert était là. Il n'a rien compris. Il a cru à une supercherie. Il lui a donné des calmants qui ne l'ont pas calmée du tout. Il est revenu deux jours plus tard et nous a appris que notre fille était folle. Que nous n'avions qu'à l'interner. Comment oublier ce petit homme sec, à barbiche, qui portait sa montre dans sa poche de gilet. La première fois que je l'avais vu, j'avais cru qu'il s'agissait d'un être humain miniature. Ce soir-là, quand il nous a appris la bonne nouvelle, j'avais une terrible envie de le miniaturiser davantage. Je savais que Marie-Ève était malade, mais je savais aussi qu'elle n'était pas folle. La transformation qui s'opérait en elle, à la faveur de la nuit, était due à un dérèglement physique. J'en étais sûre. J'ai pensé à faire venir un autre médecin mais, après cinq ou six jours de ces aventures nocturnes, je ne savais plus où j'en étais. Je dormais surtout pendant la journée pour pouvoir veiller Marie-Ève, quand elle retrouverait son personnage excentrique.

Je serais curieuse de savoir quelle a été ta réaction quand tu as entendu parler des crises de Marie-Ève.

Quelles questions t'es-tu posées? Car, toi aussi, tu avais connu des crises qui ressemblaient étrangement à celles de Marie-Ève. Tu attendais l'automne, le mois d'octobre, pour mettre tes parents en émoi. Tu revenais un jour de l'école, en te plaignant de maux de tête et, à onze heures du soir ou à minuit, tu te transformais. Tu n'avais pas d'idées de grandeur comme Marie-Ève. J'étais là, un soir, avec Émile, au moment où tu te crispais pour éviter de te faire emporter par cette folie. J'avais envie de rire et de pleurer. En l'espace de quelques secondes, le garçon qui se languissait dans son lit est devenu une espèce de luron si excité qu'on devait le tenir de force pour l'empêcher de faire des bêtises. Tes crises duraient quatre ou cinq jours et tout rentrait dans l'ordre. Quand tu repartais pour l'école, je me sentais heureuse, heureuse pour toi et heureuse pour tes parents. Et je me disais: pourvu que ça ne recommence pas!

Le cours des choses venait de changer. L'esprit du mal était entré chez nous. Il s'acharnait contre une enfant sans défense et, je m'en suis bien rendu compte, il voulait, par son intermédiaire, nous détruire tous. Marie-Ève passait le jour à travailler avec moi ou ses sœurs, mais son regard n'était plus le même. Elle appréhendait la nuit. Elle savait qu'elle aurait besoin de nous quand, vers dix heures ou onze heures, le détraquement se produirait. Je revois encore cette scène qui s'est répétée tant de fois: Marie-Ève qui labourait son ventre de ses mains et qui nous suppliait d'empêcher ce fluide magique d'entrer en elle, de la posséder. Il n'y avait rien à faire. Marie-Ève se levait, mettait sa plus belle robe et voulait partir pour Québec. Térence était là, ce soir-là. Il a voulu la prendre dans ses bras et l'inviter à faire une promenade avec lui. Elle l'a regardé en riant et lui a dit: «Mais pour qui te prends-tu, toi?» Elle ne savait même plus qui il était. C'est alors que j'ai cru qu'elle était possédée du diable. Cette idée m'est venue parce que je me sentais prisonnière entre quatre murs. Rien de plus illogique de ma part, puisque je n'ai jamais cru au diable. Il arrive, dans la vie, je m'en rends compte, qu'on se mette à ajouter foi à des choses auxquelles on ne croit pas. C'est ce qui m'est arrivé. Je me suis dit: puisque le médecin n'y peut rien, voyons si le curé y pourra quelque chose. Le septième ou huitième soir des crises, j'ai demandé à Martial d'aller chercher le curé Martel. Martial m'a regardée en haussant les épaules. J'ai compris dans son regard que, même s'il allait à la messe du dimanche, il n'avait aucune confiance au curé pour guérir Marie-Ève. Il est parti avec Ovide en Ford et, une heure plus tard, ils revenaient avec le curé.

Laisse-moi reprendre mes esprits avant de te raconter ce qui s'est passé, laisse-moi tout doucement revenir à ces images loufoques car, si je n'avais été le personnage principal de cette scène, jamais je n'aurais pu croire qu'elle s'est vraiment produite.

. . . .

Il devait être neuf heures du soir. Marie-Ève reposait dans sa chambre quand il est entré. Court, trapu, le visage sévère, il m'est apparu dans la lumière du soleil déclinant comme un personnage de l'au-delà. Je me suis levée pour aller à sa rencontre, mais il était devant moi et me demandait, la bouche serrée: «Est-ce que je peux la voir?» Je lui ai indiqué le chemin de l'escalier. Il a relevé sa soutane et s'y est engagé, suivi de moi et d'Émile. En haut, à cause de la lumière qui, de la chambre de Marie-Ève, éclairait le passage, il est entré chez elle, sans hésitation. Il s'est arrêté au bord de son lit. Il l'a regardée quelques instants. Marie-Ève, toute blême, l'a à peine salué. Il lui a dit: «Tu me reconnais?» Marie-Ève a fait signe que oui. Puis elle s'est mise à geindre.

— Tu te sens vraiment très malade?

Elle a encore fait signe que oui.

— Qu'est-ce que tu veux que je fasse pour toi?

Elle a fait un geste qui voulait dire : je n'en sais rien. Il a mis sa main sur son front et lui a demandé :

— Veux-tu te confesser?

Elle a fait signe que non.

— Et si tu mourais? a-t-il dit.

— Je suis trop jeune pour mourir.

— Ce n'est pas à toi d'en décider. Le bon Dieu a peut-être besoin de toi pour faire réfléchir les gens qui se moquent de lui.

Marie-Ève s'est mise à pleurer.

— Je ne veux pas mourir!

— La confession ne te fera pas mourir.

— Je n'ai rien fait de mal.

— C'est ce que tu crois!

— Je ne mérite pas de mourir! Je mérite pas de mourir!

— C'est ce que tout le monde pense! Mais le bon Dieu ne pense pas toujours comme nous. Il faut lui faire confiance.

Alors, je suis intervenue. Je l'ai tiré par la manche pour qu'il se retourne vers moi et je lui ai dit :

— La confiance, c'est la confession.

Il m'a regardée, étonné, et il a repris :

— Qu'en savez-vous?

Je suis passée derrière le curé, je me suis penchée sur Marie-Ève et je lui ai demandé si elle voulait que nous la laissions seule avec lui. Elle a fait signe que non. J'ai dit d'un ton d'autorité : « Allons-nous-en! »

Émile est sorti, suivi du curé. Je fermais la marche.

Arrivé, dans la salle de séjour, il s'est arrêté et nous a demandé : « Qu'est-ce que vous voulez que je fasse? »

Émile a baissé la tête, ne sachant trop que répondre. Je me suis avancée, je me suis placée devant lui — je le dépassais de quelques pouces —, je l'ai regardé dans les yeux et je lui ai tenu à peu près le discours que voici :

« Monsieur le curé, si vraiment vous avez les pouvoirs que vous croyez avoir, si vous êtes un représentant du Christ, vous allez guérir cette enfant. Sa maladie ne s'explique d'aucune façon. On dirait qu'elle est possédée par les mauvais esprits. Vous êtes prêtre et vous avez le pouvoir de chasser les mauvais esprits. Marie-Ève n'a rien fait pour être possédée de cette façon. Elle n'a fait de mal à personne. Pourquoi le bon Dieu enverrait-il — et nous enverrait-il — autant de souffrances ? Monsieur le curé, chassez les mauvais esprits de cette maison ! »

Il s'est mis à tourner en rond, les deux mains derrière le dos, la tête penchée. Émile, n'en pouvant plus, s'était laissé tomber sur une chaise à côté de la salle à manger. Il semblait incapable de dire le moindre mot. Finalement, le curé a cessé de tourner en rond, s'est arrêté devant moi et m'a dit :

— Marie-Ève est peut-être en train d'expier les péchés des autres.

— Qu'est-ce que vous voulez dire ?

— Elle a peut-être la conscience nette, mais il est possible que certains de ses proches n'aient pas la conscience aussi nette.

— Expliquez-vous !

— Je veux dire, madame Desjardins, que vous êtes une mauvaise chrétienne !

— Qui vous permet de parler ainsi ?

— Vous ne venez jamais à la messe du dimanche. Et vous ne faites même pas vos Pâques !

— J'ai peut-être de fort bonnes raisons de ne pas aller à la messe du dimanche. Et vous n'avez aucune raison de dire que je ne fais pas mes Pâques. Je ne suis pas obligée d'aller à Saint-Amable pour les faire.

— Vous vous défendez mais, je vous le répète, vous êtes une mauvaise chrétienne.

— Dites-moi pourquoi.

— Est-ce que vous n'encouragez pas vos enfants à courir les danses du samedi et du dimanche? Vous savez, tout finit par se savoir.

— Est-ce les encourager? Je ne leur défends pas d'y aller.

— Pourquoi?

— Parce que les jeunes ont besoin de s'amuser. Si les curés n'ont pas encore compris cela, c'est qu'ils n'ont rien compris à la nature humaine.

— Ce ne sont pas les curés qui défendent les danses, c'est l'évêque!

— Pourquoi l'évêque de Québec ne les défend-il pas? Est-ce que le vôtre ne serait pas un imbécile? Et ne serait-il pas temps que de simples curés comme vous le lui disent?

— Madame Desjardins, vous êtes en train d'insulter l'Église!

— Je n'insulte pas l'Église. L'Église ne peut pas être aussi bête que l'évêque de Rimouski et tous ces curés qui, au lieu de le remettre à sa place, lui lèchent le cul.

— Madame! Vous m'insultez! Les prêtres doivent obéir à leur évêque et j'obéis au mien.

— Même si votre conscience vous dit que…

— Ma conscience n'a rien à voir là-dedans. À vous entendre, je me rends compte que ce n'est plus vous qui parlez, mais Satan!

— Vous essayez maintenant de me faire peur comme aux autres que vous menacez des peines de l'enfer dans vos sermons. Apprenez que je n'ai jamais fait de pacte avec le diable et que s'il y a quelqu'un, ici, qui est possédé du diable, ce n'est ni moi ni Marie-Ève, mais vous!

— Madame Desjardins, je vous plains! Vous ne vous rendez pas compte que c'est l'orgueil qui vous fait parler ainsi? Vous ne vous rendez pas compte que, depuis plusieurs années, vous êtes un objet de scandale dans la paroisse? Vous ne vous rendez pas compte que vous avez offensé le Christ et son représentant en mon humble personne? Quand reprendrez-vous vos sens? Quand accepterez-vous de vous humilier pour retrouver la paix de l'âme? C'est peut-être à ce prix que vous obtiendrez la guérison de votre enfant.

J'étais tellement en colère que je ne savais plus que répondre. Émile, de sa chaise, m'a fait un signe qui voulait dire: inutile de discuter avec lui. Pendant ces quelques minutes de silence, le curé Martel n'avait rien perdu de son assurance. Il me regarda droit dans les yeux et me dit: «Mettez-vous à genoux, regrettez vos péchés en silence et je vous donnerai l'absolution.»

Ah! te dire ce que j'ai ressenti à ce moment-là! Je ne pourrai jamais! J'aurais voulu prendre ce rustaud entre mes deux mains et l'écraser comme une puce. J'aurais voulu le presser si fort que j'aurais vu tout son sang gicler sous la pression de mes doigts. Je me sentais capable de l'étouffer. Au lieu de tout cela, je me suis entendue dire:

— Et si je vous demandais de vous mettre à genoux devant moi et de regretter vos péchés?

— Madame, vous insultez la religion!

— Je n'insulte pas la religion, j'insulte un puceron qui se pare de toutes sortes de vertus pour se faire passer pour un géant.

— Je m'en vais, mais je suis obligé de vous dire que vous appelez la malédiction sur votre maison. Dieu a toujours le dernier mot.

Il a fait signe à Martial qu'il était prêt à partir. Au moment où il descendait l'escalier, suivi de mon fils, je lui ai dit: «C'est vous qui appelez la malédiction sur cette maison, mais j'ai bien peur qu'elle ne se retourne contre vous!»

La porte refermée sur eux, ma colère s'est changée en chagrin. Les enfants étaient partis je ne sais où. Émile avait pris le chemin de sa boutique. Je me suis assise devant la table de la salle à manger et j'ai senti une sorte de chose étrange s'emparer de moi. Je me suis mise à pleurer. Cela ne m'était pas arrivé depuis des années. On aurait dit que ces pleurs me libéraient. De quoi? Je ne sais trop. En même temps, la peur s'était emparée de moi. On a beau ne pas être superstitieux, on craint toujours les malédictions des gens. Au moment où j'implorais le curé Martel de guérir Marie-Ève, ce dernier me disait à sa façon que Marie-Ève devait mourir. Était-ce assez charitable? Était-ce assez humain? Perdue dans les larmes, j'ai soudain senti une présence à mes côtés. Et j'ai entendu la voix de Térence me dire: «Qu'est-ce qui se passe, madame Desjardins?»

J'ai essayé tant bien que mal de lui raconter l'altercation que je venais d'avoir avec le curé. Pendant mon récit, je m'étais levée. Je tournais en rond sur place. À un moment donné, Térence s'est approché de moi. Une sorte de lumière brillait dans ses yeux. Et lui aussi, comme un enfant, s'est mis à pleurer. Alors je l'ai pris dans mes bras et, pendant plusieurs minutes, nous nous sommes tenus embrassés. Nous n'avions pas de mots pour nous expliquer, mais nous nous comprenions. C'était l'objet de notre amour que nous tâchions de défendre contre le mauvais sort. Puis, je lui ai dit d'aller rejoindre Marie-Ève en haut. Quelques minutes plus tard, Martial revenait. Lui, si peu démonstratif d'ordinaire, m'a entourée de ses deux bras, debout derrière ma chaise et, pendant plusieurs minutes, j'ai senti son souffle sur ma joue, dans mon cou. Il me disait d'être raisonnable. À la fin, il s'est assis à côté de moi.

Un peu rassérénée, je lui ai demandé si le curé avait fait des remarques en cours de route. «Juste avant de descendre de l'auto, a-t-il dit. Mais je ne devrais pas vous raconter ça.»

Je lui ai dit qu'après ce qui venait de se passer, je pouvais tout entendre. «Il m'a dit, en tenant la portière ouverte : "Votre mère est une impie. Elle encourage le mal. Dieu la punira."»

Je me suis mise à sourire. Émile, qui venait de rentrer et avait entendu, m'a encore répété : « T'es drôle, toi !

— Montons la voir», dis-je.

Au moment où nous sommes entrés dans sa chambre, elle était en plein délire. Térence faisait de son mieux pour la calmer. La crise avait pris une tournure différente. Au lieu de s'habiller pour sortir, comme elle le faisait précédemment, elle restait dans son lit et racontait les histoires les plus abracadabrantes. En nous voyant entrer, elle s'est mise à nous traiter de tous les noms imaginables, nous a sommés de déguerpir parce qu'elle voulait être seule pour réorganiser le monde. J'ai demandé à mon aîné d'aller à Saint-Hubert chercher le médecin. Quand il est arrivé, vers minuit, Marie-Ève ne bougeait presque plus dans son lit. Un peu de bave sortait de sa bouche. Il l'a examinée pendant un bon moment pour finir par dire qu'il n'avait aucune idée de la maladie qui la transformait ainsi. Il a parlé d'hôpital. Il nous a donné le nom d'un médecin de Rivière-du-Loup qui pourrait peut-être nous être utile.

À six heures du matin, Marie-Ève a repris ses sens. Elle était si faible qu'elle a refusé de se lever. Térence s'en est allé au petit matin, après l'avoir embrassée. Il nous a regardés avant de sortir sans dire un mot. Je suis restée dans la porte au moment où il montait dans sa voiture après avoir donné quelques tours de manivelle pour la mettre en marche. Il a penché la tête, il a pris le volant entre ses bras et il est resté là plusieurs minutes. J'ai compris, en voyant les soubresauts de ses épaules, que l'espoir était en train de le quitter.

Le lendemain, ou plutôt le même jour dans l'après-midi, nous avons eu la visite du docteur Coulonge de Rivière-du-Loup. Marie-Ève, comme le jour précédent, n'avait pas bougé de son lit. Nous lui avons raconté toute l'histoire, le changement brusque de personnalité qui se produisait chez elle, vers onze heures du soir. Nous espérions qu'il trouverait une réponse, nous donnerait de l'espoir. Il est reparti, lui aussi, au bout d'une heure, en branlant la tête. « Amenez-la à l'hôpital, c'est tout ce que je peux vous conseiller. »

Ce même soir, vers onze heures, nous avons revécu la même histoire que la veille. Le lendemain, dans la journée, alors que Marie-Ève avait pleinement conscience de ce qui se passait, je lui ai demandé si elle voulait que nous la conduisions à l'hôpital. J'étais tout près d'elle. Elle s'est collée à moi et s'est mise à pleurer silencieusement. J'aurais voulu la prendre dans mes bras et partir tout de suite pour Rivière-du-Loup. Elle n'a pas répondu à ma question. Elle a dit : « Qu'est-ce que j'ai ? Mais qu'est-ce que j'ai donc ? » J'ai voulu la rassurer et je lui ai dit que, dans quelques jours, elle se remettrait et que tout rentrerait dans l'ordre. Elle a répondu : « Je le voudrais tellement ! Mais quand ça me prend, j'ai tellement peur de mourir !

— Ma petite fille, mon ange, tu ne mourras jamais parce que je ne veux pas que tu meures. Tu verras comme ce sera beau dans quelques jours. Térence va revenir demain… » Au même moment, la crise la reprenait.

❏

Claude, je n'en peux plus. On dirait que toute la fatigue de ces jours oppressants s'est infiltrée en moi. Je me sens aussi démunie qu'en ces heures terribles. Je suis entourée d'un silence qui fait mal, qui me gruge par l'intérieur, comme en ces jours où je servais le repas des enfants qui avaient toujours peur de poser des questions et qui avalaient leur soupe sans dire un mot. À tour de rôle, ils se rendaient dans la chambre de Marie-Ève. Ils en redescendaient en évitant de me regarder.

Quel chemin de croix !

Enfin, le lendemain, j'ai téléphoné à l'hôpital pour faire une réservation. C'est Martial qui devait se charger d'y mener Marie-Ève en voiture, au cours de l'après-midi. Elle nous a tous déjoués. Au moment où Martial a voulu la prendre dans ses bras pour l'amener dans la voiture, elle s'est mise à trembler comme une feuille et, en l'espace de quelques secondes, s'est retrouvée en pleine crise.

Pendant des heures, elle a lutté contre tous les cauchemars possibles et impossibles. Elle était si épuisée au matin, quand elle est revenue à elle, que nous avons décidé de la laisser reposer avant de la transporter à l'hôpital. Vers onze heures, j'ai voulu lui faire avaler une soupe. Elle a refusé. J'essayais de la convaincre qu'elle devait faire un effort, qu'elle ne pouvait prendre des forces si elle refusait de manger. Rien à faire. Une heure plus tard, elle a ouvert les yeux et a murmuré le nom de Térence. Quand il est arrivé, vers quatre heures, elle ne pouvait plus le reconnaître.

Je repense à tout cela et je tremble de tous mes membres. Je les revois tous les deux, serrés l'un contre l'autre, lutter contre la mort. Mais la mort prenait déjà toute la place. À un moment donné, Marie-Ève a fait des efforts pour se rapprocher de Térence. Il s'est mis à la serrer contre lui. Et, tout à coup, elle est retombée, inerte. Térence s'est mis à

genoux à côté du lit et il a enfoui sa tête dans le cou de
Marie-Ève. Je suis sortie de la chambre. Je n'en pouvais
plus. Quand je suis revenue, dix ou quinze minutes plus
tard, Marie-Ève reposait tranquillement sur son lit, les
yeux fermés, et Térence était assis bien droit sur la chaise,
à côté, perdu dans une sorte de contemplation. Nous avons
réussi à le tirer de sa chaise et à le faire descendre avec
nous au salon. Il s'est laissé tomber sur le divan et ce n'est
qu'au bout de plusieurs heures que nous avons pu le
convaincre de rentrer chez lui.

❏

Après, je ne sais plus ce qui s'est passé. J'ai perdu
conscience de tout ce qui existait. Pendant des heures, j'ai
habité une sorte de grand vide où je me sentais complètement perdue. Puis, j'ai entendu une voix m'appeler :
« Maman, maman ! viens avec moi. » C'était Josée qui me
tirait par la main. Je suis descendue avec elle. Je l'ai suivie
au salon. Marie-Ève reposait déjà dans son cercueil, les
mains croisées sur sa poitrine. Belle, transfigurée, presque
souriante ! J'ai eu envie de crier : « Qu'est-ce que tu fais
là ? » Je crois même que j'ai essayé de crier. Aucun son ne
sortait de ma bouche. En un clin d'œil, je venais de revoir
ces jours affreux où nous nous étions tous battus contre
l'inévitable. La figure du curé Martel est passée devant moi
comme une ombre qui sème le malheur. Mes mains se sont
crispées. Elles auraient voulu l'étrangler.

Je me suis approchée avec Josée qui pleurait. Je me
demandais comment Émile et moi avions pu mettre au
monde une enfant aussi extraordinaire. Je l'ai regardée
pendant de longues minutes. On aurait dit que je voulais
faire entrer son image en moi pour l'éternité. Je vivrais
encore cent ans que je ne pourrais oublier ces traits

réguliers, cette figure légèrement teintée de rose, cette bouche qui, me semblait-il, allait s'ouvrir et nous dire que c'était la fin du rêve.

❏

Je n'ai presque pas souvenir des jours suivants. Tout se bouscule dans mon esprit. Les gens qui arrivent, les gens qui partent. Des voix qui parlent plus bas que d'habitude. Un va-et-vient continuel, des portes qui s'ouvrent et qui se ferment. Me voici dans la salle à manger. Josée m'a préparé une bonne soupe aux légumes. Elle insiste pour que je mange un peu. Je goûte à la soupe et je dépose ma cuiller. « Vous ne pouvez pas continuer à vivre sans manger ! » Je regarde Josée qui s'affaire près de la cuisinière. « Nous avons autant de peine que vous, maman. Mais il faut continuer à vivre ! »

Continuer à vivre ! Est-ce bien vrai qu'il faut continuer à vivre ? C'est à ce moment-là que Michel Ouellet est apparu dans le cadre de la porte et a répété après Josée : « Mais oui, il faut continuer à vivre ! » Ai-je inventé cette visite surprise pour me redonner du courage, alors que tout n'était que ténèbres en moi, autour de moi ? Je ne sais plus. Je venais de me rendre compte que mon cœur pouvait encore aimer. Michel a mis sa main sur mon épaule et il a ajouté : « Oui, Carmélia, il le faut. Je comprends ta peine. Une enfant pareille et qui aimait autant la vie ! Je comprends, je te comprends, mais il faut encore croire en la vie ! »

Puis, ce fut ce grand matin ensoleillé. Le samedi 9 juin. La maison remplie à craquer. Des gens qui donnaient des ordres. Je suis sortie sur la galerie sud. La lumière m'a presque rendue aveugle. Peu à peu, la vue m'est revenue. La maison était entourée de voitures. Les enfants s'amusaient à faire jouer les klaxons. J'entendais les rires des jeunes gens qui se frayaient un chemin à travers ce dédale infernal. Je me suis tournée vers l'ouest. Des voitures et des voitures qui attendaient le long de la route, en face de chez vous et même beaucoup plus loin. Quand je me suis retournée, la lumière m'a frappée en pleine face. Il n'était que neuf heures, du matin, mais déjà la chaleur pénétrait partout. La joie ruisselait partout, arrivait de partout et transformait tout. Je ne savais plus que faire. Pourquoi tant de beauté soudain pour fêter la mort? Marie-Ève méritait peut-être une fête pareille, elle qui avait tellement cru en la vie. Au moment où la voix d'Émile m'a ramenée à moi, je venais d'apercevoir les lilas qui fleurissaient votre balcon. «Viens, qu'il me dit, nous allons monter avec Térence.» Je l'ai suivi. Je suis montée dans la voiture avec Émile et Josée. Nous sommes partis et le cortège a suivi.

C'est le curé Martel qui chantait la messe de funérailles. Pendant l'office, je le regardais et me demandais comment il pouvait s'associer à nous pour prier pour cette enfant, lui qui avait appelé les malédictions divines sur notre maison. Mes enfants pleuraient. D'autres aussi. C'est le bruit de ces pleurs qui me revient le plus intensément. Je ne pleurais pas. J'avais l'impression d'être un robot qui se promène dans d'immenses souterrains. En même temps, je sentais des centaines d'aiguilles traverser mes entrailles, se faire un chemin jusqu'à mon cœur, jusqu'à mon âme.

Un peu plus tard, nous avons tous suivi le cercueil qui s'acheminait vers le cimetière. La lumière crue dansait partout. Tout étincelait. C'était la grande fête! Au bord de la fosse, le curé a marmonné des prières en latin, et des hommes ont amené le cercueil au-dessus de la fosse. Térence me tenait la main. Josée sanglotait à côté de moi. N'en pouvant plus, je me suis retournée, je me suis frayé un chemin à travers la foule et j'ai quitté le cimetière. J'ai entendu des voix derrière moi, mais j'ai continué ma marche. J'ai trébuché quelques fois sur des cailloux où le soleil mettait des éclats. J'ai retrouvé la voiture de Martial et je m'y suis engouffrée. Cinq ou dix minutes plus tard, j'ai senti des présences dans la voiture. Nous sommes repartis vers le Chemin-Taché. Au moment de descendre, j'ai senti une force venant de je ne sais où s'emparer de moi. La parole m'était redonnée. J'ai invité Térence à se joindre à nous pour le dîner que j'ai moi-même servi en racontant des histoires de ma jeunesse. Deux de mes sœurs étaient là. Un frère d'Émile. J'ai réussi à faire rire tout le monde et à remettre de la joie dans l'atmosphère. Ils ont dû croire que j'avais tout accepté et que je reprenais goût à l'existence.

❏

La mémoire enregistre tant de choses et, pourtant, elle en oublie tellement. Comment s'est terminé ce dîner ? À quelle heure mes sœurs sont-elles parties ? À quel moment Térence a-t-il repris la route ? Je chercherais des années que je ne trouverais pas. Je me revois, le soir de ce même jour, au moment où le soleil disparaissait derrière la montagne du nord, assise sur la véranda, en train de regarder les enfants qui jouaient à cache-cache autour des bâtiments. À des instants de silence succédaient des cris joyeux qui disaient que l'on venait de retrouver quelqu'un. Je me sentais heureuse. J'aurais voulu participer à leurs jeux. Puis, des voix se sont fait entendre. Les enfants se sont retirés pour la nuit. Me parvint alors, d'un poste de radio, la voix de Rina Ketti qui redisait pour la millième fois son amour de Montevideo :

> *C'est pour toi, Montevideo,*
> *C'est pour toi que chante mon cœur,*

Sous ton ciel, Montevideo
J'ai connu enfin le bonheur...

Était-ce assez ironique ? On me parlait de bonheur le jour même où j'avais l'impression que, en ensevelissant Marie-Ève, j'avais enseveli une partie de moi-même. Au même moment, je m'accusais d'être une mère dénaturée parce que, sans que je puisse expliquer pourquoi, je me sentais joyeuse, légère comme la brise. Je savais que ce n'était pas vrai. Je savais que, l'instant d'après, des centaines d'aiguilles reviendraient faire leur jeu à l'intérieur de mon corps et que je me promènerais comme une folle entre les quatre murs de la maison en criant des injures aux mauvais esprits qui venaient de me dépouiller, de nous dépouiller de notre bien le plus précieux. Ce qu'il y a de plus dur dans la vie, c'est d'être obligés de se détacher de ce qui nous est le plus précieux, ce pour quoi on donnerait tout. Comment continuer à vivre ? Mais je ne vivais plus. Je passais la plus grande partie de mes journées dans une sorte de rêve où je ressuscitais Marie-Ève dans un grand verger où les pommiers fleurissaient à perte de vue. Nous portions toutes les deux les costumes les plus extravagants et nous nous inventions les jeux les plus subtils en courant à travers ces arbres qui nous saluaient au passage et nous inondaient de fleurs. Quand nous revenions de nos randonnées en nous tenant par la main, les pommiers s'unissaient pour chanter une complainte langoureuse et triste. Malgré moi, jour après jour, je reprenais mes randonnées avec Marie-Ève et c'est ainsi que j'ai pu reprendre la vie quotidienne, préparer les repas des enfants et respirer l'air de l'été sans sombrer dans la folie. En même temps, je revivais toutes les étapes de la maladie de Marie-Ève. J'essayais de découvrir la raison de ces crises étranges. Je n'y parvenais pas. À travers toutes ces scènes, au moment où je m'y attendais le moins, je revoyais le curé Martel, planté devant moi, comme un archange venu des enfers. Je l'entendais marteler ses syllabes à mes oreilles. Les mots n'étaient jamais les mêmes. Mais le message ne changeait pas. J'en suis venue à me persuader que c'était lui qui était responsable de la mort de ma fille. Étais-je devenue folle? Je n'en suis pas sûre. Après tant d'années, ai-je changé d'avis? Je ne crois pas. Certains soirs, je le voyais apparaître sous la forme d'un corbeau qui venait se jucher juste au-dessus de la véranda et qui croassait pendant des heures d'une voix vicieuse et démente. Je lui lançais toutes sortes d'objets. Je demandais à Émile de sortir sa carabine et de tuer cet oiseau de malheur. Il disparaissait alors dans l'épaisseur de la nuit, pour revenir le soir suivant recommencer sa chanson lugubre. Tu crois peut-être, Claude, qu'à cause de la grande douleur qui m'a labouré le cœur et l'âme, j'étais devenue démente. Je ne dirai pas non. Je peux t'assurer cependant que le corbeau dont je parle est revenu pendant plus d'un mois — et dis-moi comment un corbeau peut-il s'entêter à rester avec nous après le départ du printemps? — nous redire sa chanson stridente dans le pommier de votre jardin ou sur les fils du poteau de téléphone juste en face de chez nous. Je n'invente rien. Il était là jusqu'à la fin de juin et même dans les premiers jours de juillet. Émile a essayé de chasser, avec ses plombs, ce personnage lugubre. Peine perdue. J'ai finalement compris qu'il fallait que je règle mes comptes moi-même avec ce prédateur et c'est alors que m'est venue l'idée de rendre visite au curé Martel.

Émile a eu l'air surpris quand je lui ai demandé de me conduire, en voiture, chez le curé.

— Qu'est-ce que tu lui veux?

— Ça me regarde.

— Voyons, Carmélia!

— Je veux voir le curé!

Il a encore eu la même expression que d'habitude : « T'es drôle, toi! »

Il était onze heures du matin, ce vendredi, quand je suis entrée dans son bureau.

❏

J'avais eu de la difficulté à monter les marches de l'escalier qui menait à ce bureau. Je sentais mes jambes se dérober sous moi. Je craignais que ma volonté d'en finir avec cette affaire ne s'évapore dans la sorte d'éblouissement qui s'était emparé de moi en arrivant aux dernières marches. J'ai cru, un moment, que j'allais perdre connaissance. Je ne pouvais tout de même pas renoncer à cette libération alors que j'étais si près du but. C'est dans ce désarroi que j'ai frappé à la porte. J'ai entendu une sorte de cri : « Oui, entrez! »

Le curé Martel était assis derrière un grand bureau. Il fumait sa pipe. Il avait l'air occupé à aligner des chiffres dans un cahier. J'ai vu tout de suite, dans ses yeux, quand il a relevé la tête, que ma présence le surprenait. En effet, depuis douze ans qu'il était curé de Saint-Amable, c'était la première fois que moi, Carmélia, je pénétrais dans son refuge. Avant même de dire quoi que ce soit, il se leva à demi de sa chaise et m'offrit de prendre place dans l'autre qui faisait face au bureau. Je fis signe que non. Il releva les épaules et dit :

— Alors, vous êtes venue me voir, madame Desjardins?

— Oui, je suis venue vous voir.

— Ce doit être bien grave, puisque, si je me souviens bien, vous ne vous êtes jamais beaucoup déplacée ni pour venir aux offices ni pour me rendre visite.

Il me désarmait avec ses phrases bien faites, sa façon de prononcer ses syllabes. Il se carrait dans son fauteuil. Pendant ce temps-là, je regardais le jaune d'œuf qui garnissait sa soutane en bas de son col romain. Mais il ne portait pas son col. Il était mis à l'aise. En essayant de trouver une bonne réponse, ma vue s'attarda sur le col romain et la bavette noire qui reposaient sur un coin du bureau. Était-ce l'intuition que j'allais lui rendre visite qui lui avait conseillé de se dépouiller ainsi d'une partie de ses pouvoirs? Il remua un peu sur son siège, se mit les coudes sur le bureau après avoir posé sa pipe dans le cendrier, et demanda:

— Vous ne voulez pas vous asseoir?

— J'veux pas rester longtemps.

— Bon, comme vous voudrez. De quoi s'agit-il?

Au même moment, nous entendîmes des cris qui venaient, je crois, de la cuisine. Puis, quelqu'un se mit à courir à travers plusieurs pièces de la maison. Le curé se leva. Au même moment, une chauve-souris pénétra dans le bureau et se mit à virevolter dans la pièce, poursuivie par la servante tout échevelée qui nous criait d'ouvrir la porte pour débarrasser le presbytère de ce malheureux animal. Je courus vers la porte. La chauve-souris continua à voleter ici et là en se frappant aux murs. Au milieu de sa danse démente, elle frôla la joue gauche du curé. Il en devint vert de peur. Je pris un journal qui se trouvait sur un tabouret et, alors qu'elle revenait dans ma direction, je l'attrapai au vol. Elle tomba à mes pieds. Je la soulevai et, d'un mouvement rapide, je la lançai dans les herbes de l'autre côté de l'escalier. La servante, toute réjouie, me remercia. Le curé se rassit. Et nous fûmes de nouveau seuls. Ce fut le silence pendant quelques secondes. Puis, il dit:

— Vous n'avez pas peur des chauves-souris?

— Non. Mais j'ai peur des corbeaux.

— Pourquoi parlez-vous de corbeaux alors qu'il s'agit de chauves-souris ?

— J'sais pas.

— Reprenons nos esprits. Qu'est-ce qui vous amène chez moi ?

— Il fallait que je vous voie, monsieur le curé. Il fallait que je reparle de Marie-Ève avec vous.

— Je ne vois pas très bien où vous voulez en venir. Marie-Ève a refusé la confession et l'extrême-onction. Que pouvais-je faire ?

— Marie-Ève n'a rien refusé. Elle voulait que vous l'aidiez à conjurer le mauvais sort. Vous avez refusé.

— Qu'est-ce que vous dites ?

Il s'était levé en s'emparant de sa pipe. Il avait reculé son fauteuil et tournait en rond devant son bureau en essayant de tasser le tabac dans sa pipe. Je ne répondais pas.

— Vous ne voulez pas dire, au moins, que…

Il ne finissait pas sa phrase. Une force intérieure venait de s'emparer de moi. Il me semblait que j'avais le corbeau à la portée de la main et qu'il ne dépendait plus que de moi qu'il prenne le large ou reste sur place. Il n'avait pas fini sa phrase, mais je savais ce qui pendait au bout de cette phrase inachevée.

— Allez-y, puisque vous êtes là !

— Monsieur le curé, vous avez appelé les malédictions divines sur notre maison !

— Comment osez-vous dire une chose pareille ?

— C'est pourtant la vérité !

— Madame Desjardins, vous rendez-vous compte de ce que vous dites ? Vous m'accusez d'avoir…

— C'est bien ça, monsieur le curé, d'avoir souhaité la mort de Marie-Ève !

Il était devenu blême. On aurait dit que ses yeux voulaient sortir de ses orbites. Il jouait avec sa pipe, la mettait dans sa bouche, essayait d'aspirer. À plusieurs reprises, il voulut parler. Il ne proférait que des mots incohérents. Enfin, il réussit à dire :

— Vous me croyez bien méchant, madame Desjardins. Vous vous trompez. Jamais je n'ai souhaité de mal à personne.

— Vous mentez !

— Madame Desjardins ! Est-ce que vous savez à qui vous parlez ?

Je me mis à sourire. À le regarder en silence. Pour se donner une contenance, il contourna le bureau et s'approcha de la console, en face de moi, où se trouvait sa boîte à tabac. Je fis un pas dans sa direction. Il s'arrêta net. Il se retourna et me demanda :

— Savez-vous à qui vous parlez ?

— Oui, je sais à qui je parle !

— Vous feriez mieux de rentrer chez vous et d'essayer d'oublier.

— Oublier quoi ?

— Cessez d'accuser des innocents !

— C'est ce que vous croyez.

— Pour qui vous prenez-vous ?

— Et vous ?

— Vous continuez à m'accuser ?

Je m'approchai encore d'un pas. Il venait d'ouvrir sa boîte à tabac. Je me rendis compte qu'il avait peur. Je faisais durer les secondes pour qu'il savoure sa peur un peu plus longtemps.

— Si vous croyez que je suis venue ici pour rien…

Il déposa le couvercle de la boîte à tabac sur la console. Il s'y adossa. La pipe tomba par terre. Je compris que le moment propice était arrivé. Je mis mes mains sur ses épaules, je serrai et me mis à le secouer. Je l'entendais plaider sur un ton de vieille mégère :

— Arrêtez, voyons, arrêtez!

— Pourquoi avez-vous fait cela?

— Fait quoi?

— Vous jouez à l'hypocrite, maintenant!

Je le tenais coincé contre le meuble, les épaules renversées sur le haut de la console. Il y avait tellement de force en moi que j'aurais pu, s'il s'était avisé de résister, l'étouffer en quelques secondes. Il continuait à plaider en utilisant des mots, des parties de phrases que je n'entendais plus. Cela me plaisait. Je savais que je l'avais à ma merci.

— Pourquoi avez-vous fait cela?

J'ai compris tout à coup que les choses allaient mal tourner. Je l'ai vu passer du vert au bleu. J'ai vu ses yeux chavirer complètement. Il y avait un grand fauteuil à côté de la console. Doucement, je l'ai glissé vers le fauteuil. Il s'y est affalé en gémissant. J'ai ramassé sa pipe sur le plancher, je la lui ai mise dans la main droite. Il avait la tête renversée sur le dossier du fauteuil. Il essayait de parler, mais aucune syllabe ne réussissait à franchir ses lèvres. Je me suis dit qu'il valait mieux que je parte. Avant de sortir, je me suis retournée pour le regarder une dernière fois. Il secouait la tête vaguement. La pipe est de nouveau tombée sur le plancher.

J'ai descendu l'escalier en vitesse et j'ai rejoint Émile qui m'attendait dans sa Ford, en face du magasin général Blanchet. Je ne savais pas au juste comment tout cela allait se terminer, mais j'avais l'impression d'avoir accompli un devoir. Il méritait, me disais-je, une bonne leçon, je la lui ai donnée. Il abusera peut-être moins de ses pouvoirs à partir de maintenant.

Émile voulut savoir ce qui s'était passé.

— Je l'ai accusé de souhaiter du mal aux gens.

— Et qu'a-t-il dit?

— Je l'ai laissé avant qu'il n'en dise trop.

— Tu sais, ça ne ressuscitera pas Marie-Ève !

— Non, mais il faut que ces gens-là apprennent qu'ils n'ont pas tous les pouvoirs. Il faut qu'ils cessent de semer la peur et les malédictions.sur leur chemin !

— Oui, mais c'est un fou, le curé Martel. Il faut le prendre pour ce qu'il est !

— Justement, on n'a pas le droit de nous envoyer un fou comme curé !

— À quoi ça va servir ?

— À nous débarrasser des mauvais esprits et à nous permettre de continuer à vivre.

Puis, ce fut le silence. Juste avant d'arriver à la maison, Émile a dit : « J'te comprendrai jamais ! »

Je n'ai pas répondu. Je savais qu'Émile me comprenait, qu'il m'avait toujours comprise. Je lui ai préparé un bon dîner et il est reparti travailler à sa boutique.

❏

C'est dans la soirée de ce même jour que nous avons appris, par le fils cadet des Saint-Denis qui revenait du village de Saint-Amable, que le curé Martel était mort d'une crise cardiaque. La servante l'avait trouvé affalé dans son fauteuil, à côté de la console, la tête penchée en avant, sans vie. Elle avait appelé le médecin de Saint-Hubert qui n'avait pu que constater le décès. On a appris par la servante que j'avais été la dernière personne à lui avoir parlé. Le lendemain, le médecin vint me poser quelques questions. J'affirmai que je l'avais laissé en train de bourrer sa pipe devant la console. Si j'ai bien compris les propos du docteur, j'avais eu de la chance d'avoir été la dernière personne à m'entretenir avec ce saint prêtre. Personne n'a jamais eu l'idée que c'était moi, Carmélia, qui avait fait passer le curé Martel de vie à trépas. Comment aurait-on pu imaginer ce qui s'était passé entre nous ? Comment aurait-on pu croire qu'une faible femme, même si je le dépassais en stature et en force, ait jamais pu faire peur à un homme qui avait passé sa vie à terroriser ses paroissiens ? La logique des gens m'a bien servie. Je me suis bien gardée, tout au long de ces années, de dévoiler mon secret. Pas plus à Émile qu'à un autre. Tu seras donc le premier, Claude, à apprendre que la crise cardiaque qui a emporté le curé Martel n'est pas survenue sans cause. J'irais presque jusqu'à dire que j'ai assassiné le curé. Suis-je une criminelle pour autant ? Je te laisse le soin d'en juger. J'ajouterai que je n'ai aucun regret d'avoir secoué ce malappris et de l'avoir conduit au bord de l'éternité. Le devoir d'un pasteur, c'est d'abord d'aimer ceux qui sont sous sa gouverne. À tant détester l'alcool, la danse, l'impureté et les jurons, il en était venu à détester tout le monde autour de lui. Je n'ai pas entendu ses sermons, mais je savais par mes enfants que, dimanche après dimanche, il implorait le feu du ciel de brûler tous ceux qui contrevenaient à ses ordres. L'évêque n'avait pas le droit de nous imposer un déséquilibré pareil. En reprenant ses phrases, je dirais que Dieu s'est servi de moi pour l'empêcher de continuer de semer le mal partout. Mais le Dieu auquel je crois n'a rien à voir avec le sien. Je suis assez orgueilleuse pour savoir que ce que j'ai fait, je l'ai fait sans le secours de personne. J'ai voulu venger Marie-Ève. Elle méritait que je pose un geste qui lui prouve, par-delà la mort, que mon amour pour elle était indéfectible.

❏

L'été nous a été propice. Les moissons étaient belles. Le temps des corbeaux passé, on avait l'impression que la joie était encore possible. De temps en temps arrivait quelqu'un qui la coupait au couteau. Par exemple, Léocadie, par mégarde, demandait à Marie-Ève de venir l'aider à étendre le linge sur la corde. J'allais alors me réfugier sur ma galerie et j'écoutais le bruit des faucheuses au loin, ou celui plus rapproché des charrettes sur la route. Je ne pouvais me faire à l'idée que Marie-Ève ne reviendrait pas. Le soir, seule dans ma chambre, je causais avec elle. J'étais heureuse de la savoir heureuse avec Térence, je prenais ses enfants dans mes bras, je les dorlotais. Puis, les bras ballants, je m'en allais au Bois de la Côte rendre visite à mes morts. Marie-Ève m'y accompagnait à l'aller comme au retour. Elle n'a pas voulu monter sur ma scène et je comprends pourquoi. Marie-Ève est en moi comme je suis en elle. Comment pourrait-elle se détacher de moi ? Ce serait en même temps détruire tout notre amour.

Un après-midi d'octobre, comme cela s'était produit les années précédentes, tu es rentré chez toi en te plaignant d'un mal de tête. C'est l'institutrice qui m'a appris la chose le même soir, au souper. Je me suis dit : ça y est, ça va encore recommencer. Je tremblais intérieurement. Était-ce maintenant au tour de tes parents de vivre les heures, les nuits d'angoisse par lesquelles nous avions passé ? Toujours le même scénario ! À dix heures ou onze heures du soir, après avoir lutté contre les démons qui s'infiltraient en toi, tu devenais une sorte de possédé qui voulait tout briser autour de lui. Je me demande si tu as encore souvenir de ce que tu faisais dans ces moments-là ! Tu n'étais pas beau à voir. Et tu effrayais tout le monde. Je voulais arrêter les heures, je voulais arrêter le temps, car je craignais toujours que le mauvais sort ne s'acharne contre toi comme il s'était acharné contre Marie-Ève. Un matin, au moment où tu sortais de ta crise, on t'a transporté à l'hôpital. Pendant une semaine, nous n'avons pas entendu parler de toi. Un dimanche, dans l'après-midi, ta mère m'a appris que tu avais subi une opération quelques jours plus tôt. Comment pouvait-on opérer quelqu'un qui avait une maladie aussi étrange?

Une semaine plus tard, je t'ai vu descendre de l'autobus, en face de chez toi, avec ta petite valise. Il devait être cinq heures de l'après-midi. L'autobus est reparti. Tu as regardé autour de toi et, lentement, tu es entré chez toi. Je suis restée devant ma fenêtre je ne sais plus combien de temps. Des heures peut-être. Je me répétais : il est vivant, il est vivant! Tu ne pourras jamais savoir à quel point je me suis sentie heureuse, ce jour-là, devant cette fenêtre où j'ai tant fait le guet! Est-ce que les mauvais esprits venaient de quitter le Chemin-Taché pour toujours? Est-ce que, dorénavant, la vie pourrait reprendre son cours? Est-ce que nous pourrions réapprendre à vivre?

❑

Tout cela est loin aujourd'hui. Et tellement proche aussi. Une à une, quand je veux me prouver que je suis bien vivante, à quatre-vingt-huit ans, je reprends toutes ces images dans mon grand livre de souvenirs et je les presse contre ma joue, contre mes lèvres. Tout ressuscite. Je tends les bras pour tout embrasser. Le Chemin-Taché, ton Chemin-Taché n'existe plus. Il a été remplacé par un autre qui n'a plus de nom, mais la vie est encore présente partout. Certains soirs, quand je prends le frais sur la galerie, je ferme les yeux et j'entends la voix de mes enfants qui se chamaillent dans la cuisine. Tout à coup, une voix dit : «Marie-Ève! Mais voyons, Marie-Ève!» C'est en entendant ces voix que m'est venue l'idée de t'écrire cette lettre pour retrouver le Chemin-Taché d'autrefois et te raconter la véritable histoire de Marie-Ève. Je voulais que, pour moi comme pour d'autres, elle reste toujours vivante.

Peut-être me connais-tu un peu mieux maintenant et as-tu une meilleure idée des drames qui se sont joués ici, au moment où tu commençais à apprendre à lire sur ton banc d'école et, plus tard, pendant tes années de collège.

Et n'est-ce pas une bonne façon d'agrandir ton univers, celui que tu nous as décrit ailleurs?

Je te souhaite longue vie.

Carmélia

Table

Dans la même collection

Donald Alarie, *Tu crois que ça va durer ?*
Émilie Andrewes, *Eldon d'or.*
Émilie Andrewes, *Les mouches pauvres d'Ésope.*
J. P. April, *Les ensauvagés.*
Aude, *Chrysalide.*
Aude, *L'homme au complet.*
Aude, *Quelqu'un.*
Noël Audet, *Les bonheurs d'un héros incertain.*
Noël Audet, *Le roi des planeurs.*
Marie Auger, *L'excision.*
Marie Auger, *J'ai froid aux yeux.*
Marie Auger, *Tombeau.*
Marie Auger, *Le ventre en tête.*
Robert Baillie, *Boulevard Raspail.*
André Berthiaume, *Les petits caractères.*
André Brochu, *Les Épervières.*
André Brochu, *Le maître rêveur.*
André Brochu, *La vie aux trousses.*
Serge Bruneau, *L'enterrement de Lénine.*
Serge Bruneau, *Hot Blues.*
Serge Bruneau, *Rosa-Lux et la baie des Anges.*
Roch Carrier, *Les moines dans la tour.*
Daniel Castillo Durante, *La passion des nomades.*
Normand Cazelais, *Ring.*
Denys Chabot, *La tête des eaux.*
Anne Élaine Cliche, *Rien et autres souvenirs.*
Hugues Corriveau, *La maison rouge du bord de mer.*
Hugues Corriveau, *Parc univers.*
Esther Croft, *De belles paroles.*
Esther Croft, *Le reste du temps.*
Claire Dé, *Sourdes amours.*
Guy Demers, *L'intime.*
Guy Demers, *Sabines.*
Jean Désy, *Le coureur de froid.*
Jean Désy, *L'île de Tayara.*
Danielle Dubé, *Le carnet de Léo.*
Danielle Dubé et Yvon Paré, *Un été en Provence.*
Louise Dupré, *La Voie lactée.*
Sophie Frisson, *Le vieux fantôme qui dansait sous la lune.*
Jacques Garneau, *Lettres de Russie.*
Bertrand Gervais, *Gazole.*
Bertrand Gervais, *Oslo.*
Bertrand Gervais, *Tessons.*
Mario Girard, *L'abîmetière.*
Sylvie Grégoire, *Gare Belle-Étoile.*
Hélène Guy, *Amours au noir.*
Louis Hamelin, *Betsi Larousse.*
Julie Hivon, *Ce qu'il en reste.*

Young-Moon Jung, *Pour ne pas rater ma dernière seconde.*
Sergio Kokis, *Les amants de l'Alfama.*
Sergio Kokis, *L'amour du lointain.*
Sergio Kokis, *L'art du maquillage.*
Sergio Kokis, *Errances.*
Sergio Kokis, *Le fou de Bosch.*
Sergio Kokis, *La gare.*
Sergio Kokis, *Kaléidoscope brisé.*
Sergio Kokis, *Le magicien.*
Sergio Kokis, *Le maître de jeu.*
Sergio Kokis, *Negão et Doralice.*
Sergio Kokis, *Saltimbanques.*
Sergio Kokis, *Un sourire blindé.*
Andrée Laberge, *La rivière du loup.*
Micheline La France, *Le don d'Auguste.*
Andrée Laurier, *Horizons navigables.*
Andrée Laurier, *Le jardin d'attente.*
Andrée Laurier, *Mer intérieure.*
Claude Marceau, *Le viol de Marie-France O'Connor.*
Véronique Marcotte, *Les revolvers sont des choses qui arrivent.*
Felicia Mihali, *Luc, le Chinois et moi.*
Felicia Mihali, *Le pays du fromage.*
Pascal Millet, *L'Iroquois.*
Marcel Moussette, *L'hiver du Chinois.*
Clara Ness, *Ainsi font-elles toutes.*
Clara Ness, *Genèse de l'oubli.*
Paule Noyart, *Vigie.*
Madeleine Ouellette-Michalska, *L'apprentissage.*
Yvon Paré, *Les plus belles années.*
Jean Pelchat, *La survie de Vincent Van Gogh.*
Jean Pelchat, *Un cheval métaphysique.*
Michèle Péloquin, *Les yeux des autres.*
Daniel Pigeon, *Ceux qui partent.*
Daniel Pigeon, *Dépossession.*
Daniel Pigeon, *La proie des autres.*
Hélène Rioux, *Le cimetière des éléphants.*
Hélène Rioux, *Traductrice de sentiments.*
Martyne Rondeau, *Ultimes battements d'eau.*
Jocelyne Saucier, *Les héritiers de la mine.*
Jocelyne Saucier, *Jeanne sur les routes.*
Jocelyne Saucier, *La vie comme une image.*
Denis Thériault, *Le facteur émotif.*
Denis Thériault, *L'iguane.*
Adrien Thério, *Ceux du Chemin-Taché.*
Adrien Thério, *Mes beaux meurtres.*
Gérald Tougas, *La clef de sol et autres récits.*
Pierre Tourangeau, *La dot de la Mère Missel.*
Pierre Tourangeau, *Le retour d'Ariane.*
André Vanasse, *Avenue De Lorimier.*
France Vézina, *Léonie Imbeault.*